ARISTOTE

Poétique

Traduction du grec par
Odette Bellevenue et Séverine Auffret

Postface de
Séverine Auffret

Illustrations de
Laurence Bériot

ÉDITIONS MILLE ET UNE NUITS

ARISTOTE
n° 145

Texte intégral

Titre original : *Peri Poïètikès*

© Éditions Mille et une nuits, mars 1997-novembre 2006
pour la présente édition.
Département de la Librairie Arthème Fayard
ISBN : 978-2-84205-117-4

Sommaire

ARISTOTE

Poétique

On suit le texte établi par J. Hardy (Les Belles Lettres, Paris, 1932), en s'aidant de quelques lectures proposées par R. Dupont-Roc et J. Lallot (Le Seuil, Paris, 1980) et de quelques éclaircissements donnés par M. Magnien (Le Livre de Poche classique, Paris, 1990), non sans avoir tiré le plus grand intérêt des lectures anciennes, par exemple la traduction de M. Dacier (Barbin, Paris, 1692), qui ont permis d'évaluer le rôle joué par la Poétique d'Aristote dans l'esthétique de l'âge classique, comme de mesurer les variations historiques du sens des termes appliqués aux œuvres littéraires. On a le plus souvent suivi la ponctuation de J. Hardy, très respectueuse de la logique du texte, et on s'est efforcé de traduire le texte au plus près de cette logique, dans une langue actuelle tenant compte du nouveau vocabulaire des théories du langage et de la création d'art.

On a jugé inutile, dans cette édition qui ne prétend pas à l'érudition, d'annoter les nombreuses références d'Aristote à des œuvres disparues, comme à des personnages réels, légendaires ou mythiques qui ne font plus partie de la culture de l'« honnête homme » d'aujourd'hui. On s'est donc limité aux quelques notes d'ordre lexical ou historique indispensables à la compréhension du texte, en insistant sur les termes qui jouent dans le traité le rôle de concepts clés, retenus par la poétique et l'esthétique moderne. La lecture de ces notes expliquera plusieurs choix nécessaires de traduction.

Poétique

I

Voulant traiter de l'art poétique en lui-même, de ses genres divers et des effets de chacun d'eux en particulier, de la manière dont il faut composer les histoires pour réussir une belle œuvre poétique, sans rien oublier de ce qui concerne le nombre et la nature des éléments qui forment cet art, on suivra le mouvement de la nature en procédant par le commencement.

L'épopée, la poésie tragique, la comédie, le dithyrambe, et en grande partie le jeu de la flûte et de la cithare, tous ces arts, d'une manière générale, sont des imitations.

Ces imitations diffèrent les unes des autres par trois aspects : elles imitent, soit des objets différents, soit par des moyens différents, soit par des manières différentes.

De même que certains – avec des techniques ou par don naturel, ou bien en mêlant l'un et l'autre – imitent beaucoup de choses en reproduisant leurs images par des couleurs et des figures, de même que d'autres font des imitations vocales, il en va ainsi dans les autres arts qu'on a énumérés : tous imitent par le rythme, par les mots et par la mélodie, en les employant séparément ou en les combinant.

Ainsi, le jeu de la flûte et de la cithare, et d'autres comparables dans leurs effets comme le jeu de la syrinx, n'imitent que par la mélodie et le rythme, tandis que la danse imite par le rythme seul, sans mélodie : c'est au moyen du rythme décrit par les pas de danse que les danseurs imitent les caractères, les passions et les actions.

Mais l'art qui n'imite que par le langage, en prose ou en vers, soit en mêlant plusieurs types de vers, soit en n'en utilisant qu'un seul, n'a pas encore reçu jusqu'à présent de nom qui lui soit propre.

En effet, nous n'avons pas de terme commun pour désigner aussi bien les mimes de Sophron et de Xénarque, les dialogues socratiques et toutes les autres imitations qu'on peut faire à l'aide de trimètres, de mètres élégiaques ou d'autres mètres du même genre.

Il se trouve qu'on accole au nom du vers le verbe *poiein*[1], en nommant les uns poètes élégiaques

---

* Le texte des notes se trouve page 69.

(*elegeiopoioi*), les autres poètes épiques (*epopoioi*), sans avoir aucun égard au genre de leur imitation, simplement parce qu'ils utilisent un certain mètre; de sorte qu'on nommerait aussi bien poète quelqu'un qui traiterait de physique ou de médecine en vers hexamètres...

Il n'y a pourtant rien de commun, hormis le mètre, entre Homère et Empédocle, et il serait juste d'appeler le premier poète, mais le deuxième physicien. De ce même point de vue, si quelqu'un s'avisait de faire une imitation combinant toutes les sortes de vers – comme l'a fait Chérémon avec son *Centaure*, rhapsodie combinant tous les types de mètres – faudrait-il cesser de le nommer poète?

Tout cela doit donc être précisé.

Il y a des arts, tels la poésie dithyrambique, le nome, la tragédie et la comédie, qui utilisent tous ensemble les trois moyens dont j'ai parlé : le rythme, la mélodie et le mètre, tandis que d'autres les utilisent alternativement.

Voilà donc les différences que j'établis entre les arts, quant au moyen de réaliser l'imitation.

II

Puisque ceux qui imitent représentent des gens en action, qui sont nécessairement nobles ou vils (en effet, les caractères se ramènent presque toujours à ces deux seules classes, vice ou vertu faisant chez tous les hommes la différence des caractères), comme le font les peintres, ils les représentent tantôt meilleurs que nous ne le sommes, tantôt pires, et tantôt pareils. Polygnote par exemple les magnifiait, Pauson les empirait, et Dionysos les montrait tels qu'ils sont. Il est évident que chacune des imitations dont j'ai parlé montrera ces mêmes différences, et se distinguera en imitant des objets différents selon ce point de vue que je viens d'indiquer.

Ces mêmes différences peuvent d'ailleurs apparaître dans la danse, dans le jeu de la flûte et de la cithare, comme dans la prose et dans la poésie sans musique.

Homère, par exemple, magnifie ses personnages, Cléophon les montre tels qu'ils sont, tandis qu'Hégémon de Thasos, le premier auteur de parodies, et Nicocharès, l'auteur de la *Déiliade*, les empire. Il en va de même dans les dithyrambes et les nomes : on peut faire une imitation comme celles de Timothée et de Philoxène pour leurs *Cyclopes*.

C'est cette même différence qui distingue la tragédie de la comédie : l'une veut représenter les hommes en les empirant, l'autre en les magnifiant.

III

Il y a encore une troisième différence entre ces arts : c'est la manière d'imiter ces divers objets.

Il est possible en effet d'imiter les mêmes objets par les mêmes moyens, soit par le récit (on peut le faire par la voix d'un autre, comme le fait Homère, ou en gardant sa propre voix sans la changer), soit en présentant tous les personnages comme engagés dans une action.

Telles sont donc les trois manières de différencier l'imitation, comme nous l'avons dit au début : différences quant au moyen, quant à l'objet et quant à la manière de l'imitation.

En un sens donc, on peut voir en Sophocle un imitateur du genre d'Homère, car tous deux imitent des personnages nobles; mais en un autre sens, il est un imitateur du même genre qu'Aristophane, du fait que tous deux imitent des personnages en action, pris dans un drame.

C'est pour cette raison, selon certains, qu'on a appelé leurs œuvres des drames *(dramata)*, parce qu'ils imitent des personnages en action *(drôntas)*[2]. C'est pour la même raison que les Doriens[3] revendiquent l'invention de la tragédie et de la comédie (la comédie est revendiquée par les Mégariens; par ceux d'ici – ils prétendent qu'elle est née du temps qu'ils vivaient en démocratie – et par ceux de Sicile : c'est en effet de Sicile que provient le poète Épicharme, bien antérieur à Chionidès et à Magnès; la tragédie est revendiquée par quelques Doriens du Péloponnèse), et ils en donnent pour preuve les mots qui les désignent. Ils disent qu'ils nomment *kômai* les bourgs qui entourent les villes, tandis que les Athéniens les appellent *dèmes*, et ils disent que les comédiens ne tirent pas leur nom du verbe *kômazdein*[4], mais du fait qu'ils erraient dans les *kômai*, chassés avec mépris de la ville. Ils mentionnent aussi que pour dire « faire » ils emploient le verbe *drân*, tandis que les Athéniens disent *prattein*.

Voilà pour le nombre et la nature des différences qu'il y a dans l'imitation.

IV

L'origine de la poésie dans son ensemble semble bien tenir à deux causes, toutes deux naturelles. En effet, imiter est naturel aux hommes, dès leur enfance ; ils diffèrent des autres animaux en ce qu'ils sont très enclins à l'imitation et qu'ils acquièrent leurs premières connaissances par l'imitation, et ils trouvent tous plaisir aux imitations.

On en trouve la preuve dans ce fait : nous prenons plaisir à contempler la représentation la plus précise de choses dont la vue nous est pénible dans la réalité, comme les formes des animaux les plus hideux et des cadavres.

L'autre raison est qu'apprendre est très agréable, non seulement aux philosophes, mais également aux autres hommes, même s'ils diffèrent en degré sur ce point. On se plaît à regarder des images parce qu'en les regardant on peut apprendre et raisonner, par exemple déduire de cette figure qu'elle représente telle personne. Si l'on n'a pas vu auparavant le modèle, l'œuvre ne plaira plus comme imitation, mais en raison de son exécution, de ses couleurs ou de quelque autre élément.

L'imitation, la mélodie et le rythme nous étant naturels (car il est évident que les mètres font partie des rythmes), ceux qui dès l'origine y étaient les mieux disposés progressèrent peu à peu et firent naître la poésie de leurs improvisations.

La poésie se divisa selon le caractère propre de chacun : les plus nobles caractères imitaient les belles actions et celles des caractères nobles ; les tempéraments plus vulgaires imitaient les actions des hommes vils en composant d'abord des blâmes, comme les autres composaient des hymnes et des éloges.

Nous ne pouvons citer aucun poème de ce genre chez les prédécesseurs d'Homère, mais il est vraisemblable que beaucoup en composèrent ; à partir d'Homère on peut citer par exemple son *Margitès* et les poèmes de ce genre où l'on vit aussi paraître, en accord avec le sujet, le mètre iambique (c'est le nom qu'on lui donne encore aujourd'hui), parce qu'il servait à échanger des railleries[5]. Certains des anciens poètes composaient donc en vers héroïques, d'autres en vers iambiques.

Homère, en même temps qu'il fut le poète par excellence pour les genres élevés (il fut en effet le seul à composer des œuvres qui non seulement sont belles, mais qui constituent des imitations dramatiques), a aussi été le premier à esquisser les premiers traits de la comédie : au lieu de composer des blâmes, il a fait une imitation dramatique du ridicule, de sorte que son

Margitès est à la comédie ce que l'*Iliade* et l'*Odyssée* sont à la tragédie.

Après l'apparition de la tragédie et de la comédie, les poètes qui choisissaient selon leur nature l'un de ces deux genres, de poètes iambiques devinrent poètes comiques, et de poètes épiques poètes tragiques, parce que ces nouvelles formes étaient plus développées et mieux considérées que les précédentes. Quant à savoir si, maintenant, la tragédie a atteint son plein développement en elle-même ou dans ses représentations, c'est une autre question.

Étant donc née, à l'origine, de l'improvisation (ceci vaut pour la tragédie comme pour la comédie, la première remontant aux auteurs de dithyrambes, la deuxième aux auteurs de ces chants phalliques encore en honneur aujourd'hui dans de nombreuses cités), la tragédie s'étendit peu à peu parce qu'on développait tous les éléments qui apparaissaient en elle, et elle se fixa après plusieurs changements, après avoir atteint sa nature propre.

Eschyle fut le premier à porter de un à deux le nombre des acteurs, à diminuer l'importance du chœur et à donner le premier rôle au dialogue. Sophocle porta le nombre des acteurs à trois et introduisit des décors peints sur la scène. La tragédie prit une plus grande ampleur en abandonnant les histoires brèves et le langage comique qu'elle tirait de son origine satyrique, et elle acquit plus tard sa gravité.

Le trimètre iambique se substitua au trimètre trochaïque – on employait d'abord le tétramètre parce

que la poésie était liée au drame satyrique et proche
de la danse – mais, quand on y introduisit le ton de la
conversation, la nature suggéra d'elle-même le mètre
le plus approprié, parce que le trimètre iambique est,
de tous les mètres, celui qui se prête le mieux au ton
de la conversation.

On introduisit encore un certain nombre d'épisodes, et d'autres ornements qu'on dit avoir été
apportés à chaque partie; nous ne nous y arrêterons
pas, car il serait trop long d'en faire un examen
détaillé.

V

La comédie, comme nous l'avons dit, est l'imitation
d'hommes de caractère inférieur – non qu'elle traite
du vice dans sa totalité, mais seulement dans le
domaine du comique, qui est une partie du laid –, car
le comique est un défaut et une laideur sans douleur
ni dommage, de même que le masque comique est
laid et difforme, sans exprimer la douleur.

Les transformations successives de la tragédie et ses
auteurs nous sont donc connus, mais l'origine de la
comédie nous échappe, parce qu'elle était peu consi-
dérée. Ce n'est que tardivement que l'archonte a
fourni un chœur de comédiens; auparavant, ceux-ci
étaient des volontaires. On ne garde le souvenir des
poètes appelés comiques que depuis que la comédie a
pris sa forme propre.

On ignore qui a introduit les masques, les prologues, qui a défini le nombre des acteurs et tous les détails de ce genre, mais l'idée de composer des histoires *(muthos)*[6] remonte à Épicharme et à Phormis. Elle est venue d'abord de Sicile. À Athènes, c'est Cratès le premier qui, en renonçant à la forme iambique, a eu l'idée de développer des sujets complets et de composer des histoires.

L'épopée ressemble à la tragédie en tant qu'elle imite, à l'aide du mètre, des hommes de haute valeur, mais elle en diffère en employant un mètre uniforme et en formant un récit.

La différence tient aussi à l'étendue. La tragédie s'efforce de se limiter, autant que possible, dans le temps d'une seule révolution du soleil, ou de ne le dépasser que de peu, tandis que l'épopée n'est pas limitée dans le temps. Elles diffèrent donc sur ce point aussi. Mais à l'origine les poètes faisaient la même chose dans les tragédies que dans les épopées.

Pour les éléments qui les constituent, quelques-uns se retrouvent dans l'une et l'autre, tandis que d'autres sont propres à la tragédie. C'est pourquoi celui qui sait distinguer une bonne tragédie d'une mauvaise sait faire la même distinction pour l'épopée, car les éléments de l'épopée sont contenus dans la tragédie, mais tous ceux de la tragédie ne sont pas contenus dans l'épopée.

VI

Nous parlerons plus tard de l'art d'imiter en hexamètres et de la comédie.

Parlons maintenant de la tragédie, en prenant la définition de son essence, qui découle de ce que nous avons dit.

La tragédie est donc l'imitation d'une action supérieure et complète, d'une certaine étendue, dans un langage agrémenté de variations d'une espèce particulière suivant ses diverses parties; cette imitation, réalisée par des personnages en action et non au moyen d'un récit, en suscitant la pitié et la crainte, opère la purgation (*catharsis*)[7] propre à de telles émotions. Par « langage agrémenté de variations », je veux dire que certaines parties sont exécutées simplement à l'aide du mètre, tandis que d'autres parties le sont à l'aide du chant.

Puisque ce sont des personnages en action qui font l'imitation, il faut nécessairement envisager d'abord l'ordonnance du spectacle comme un élément de la tragédie, puis le chant et l'expression verbale[8], car ce sont les moyens employés pour faire l'imitation; je nomme « expression verbale » le seul assemblage des vers; pour le « chant », le mot a un sens tout à fait clair.

Comme d'autre part il s'agit de l'imitation d'une action, que celle-ci est accomplie par des personnages qui agissent, lesquels se manifestent nécessairement par tel caractère et telle pensée (car c'est par rapport à eux que nous qualifions les actions), pensée et caractère sont les deux causes naturelles qui déterminent les actions, selon lesquelles les hommes réussissent ou échouent.

L'imitation de l'action, c'est l'histoire. J'appelle « histoire » l'agencement des faits, « caractères » ce qui nous fait dire des personnages en action qu'ils sont ce qu'ils sont, et « pensée » tout ce que les personnages disent pour démontrer quelque chose ou pour développer une idée.

Dans toute tragédie, il y a donc nécessairement six éléments qui la caractérisent : l'histoire, les caractères, l'expression verbale, la pensée, la mise en scène et le chant. Deux de ces éléments sont les moyens de l'imitation, un autre en est la manière, et trois en sont les objets[9], et il n'y a pas d'autre élément en dehors de ceux-ci. Ce sont donc ces éléments constitutifs qu'ont employés la plupart des poètes, car toute tragédie comporte également mise en scène, caractères, histoire, texte, chant et pensée.

La plus importante de ces parties est l'agencement des faits, puisque la tragédie imite, non pas les hommes mais l'action, la vie, le bonheur et le malheur : bonheur et malheur résident dans l'action, et la fin vers laquelle nous tendons n'est pas un état, mais une certaine action ; c'est de par leur caractère que les hommes sont ce qu'ils sont, mais c'est de par leurs actions qu'ils sont heureux, ou le contraire. Les personnages n'agissent donc pas pour imiter des caractères, mais leurs caractères leur adviennent du fait de leurs actions ; de sorte que les actions et l'histoire sont la fin de la tragédie ; or, en toute chose, c'est la fin qui est l'essentiel.

D'ailleurs, il ne peut pas y avoir de tragédie sans action, tandis qu'il peut y en avoir sans caractères : les tragédies de la plupart des auteurs modernes sont dépourvues de caractères, et c'est le cas chez beaucoup de poètes, comme c'est aussi le cas chez les peintres, par exemple chez Zeuxis, par rapport à Polygnote ; Polygnote est un bon peintre de caractères, tandis que la peinture de Zeuxis ne fait aucune place au caractère.

En outre, si l'on enchaîne des tirades qui expriment un caractère, si réussies soient-elles sous le rapport de l'expression verbale et de la pensée, on n'obtiendra pas ce qui est l'effet propre de la tragédie, tandis qu'on l'obtiendra bien mieux avec une tragédie inférieure sur ces plans, mais qui comporte une histoire, un agencement d'actions. Ajoutons que ce qui plaît le plus dans une tragédie, ce sont les moments de l'histoire, c'est-à-dire les péripéties et les reconnaissances. Voici d'ailleurs un autre indice : les débutants en poésie se rendent capables d'exactitude dans l'expression verbale et dans les caractères avant de savoir composer les actions ; c'était aussi le cas chez presque tous les anciens poètes.

L'histoire est donc le principe, et comme l'âme de la tragédie ; les caractères viennent en deuxième lieu.

C'est encore à peu près comme en peinture : quelqu'un qui appliquerait sans ordre les plus belles couleurs charmerait moins qu'en crayonnant une figure. La tragédie est l'imitation d'une action, et c'est principalement par rapport à cette action qu'elle imite les hommes qui agissent.

La pensée vient en troisième lieu. Elle consiste dans la capacité de trouver les paroles qui découlent de la situation et lui conviennent, ce qui, dans le discours, est l'œuvre de la politique et de la rhétorique ; les anciens poètes faisaient parler leurs personnages comme des citoyens, ceux d'aujourd'hui les font parler comme des rhéteurs.

Le caractère est ce qui révèle une résolution de l'esprit, le choix que l'on adopte ou que l'on fuit en cas de doute (c'est pourquoi on ne met aucun caractère dans les paroles qui n'expriment pas du tout ce que choisit ou fuit celui qui parle). La pensée consiste à démontrer qu'une chose est ou n'est pas, ou à développer quelque idée générale.

Le quatrième élément, qui a trait au langage, est l'expression verbale ; j'entends par là, comme on l'a dit plus haut, l'expression de la pensée dans les mots ; elle a les mêmes effets dans les vers et dans la prose.

Parmi les autres éléments, le chant est le principal ornement.

Quant à la mise en scène, bien qu'elle exerce une séduction, elle est tout à fait étrangère à cet art, et n'a rien de commun avec la poétique, car le pouvoir de la tragédie subsiste, même sans concours et sans acteurs; d'ailleurs, pour l'organisation scénique du spectacle, l'art du décorateur compte davantage que celui des poètes.

VII

Après avoir fait ces distinctions, voyons maintenant ce que doit être l'agencement des événements, puisque c'est là le premier point, et le plus important pour la tragédie.

Nous avons posé que la tragédie est l'imitation d'une action menée à son terme, formant un tout, et dotée d'une certaine étendue – car une chose peut former un tout et manquer d'étendue. Forme un tout ce qui a un commencement, un milieu et une fin. Le commencement est ce qui ne suit pas nécessairement d'une autre chose, tandis qu'il suit de lui nécessairement une autre chose; la fin, au contraire, est ce qui suit naturellement d'une autre chose, nécessairement ou le plus souvent, tandis qu'il n'y a rien d'autre après elle; le milieu est ce qui, de soi, suit d'une autre chose et est suivi d'autre chose.

Les histoires bien agencées ne doivent donc ni commencer ni finir au hasard, mais elles doivent se conformer aux principes qu'on vient d'énoncer.

De plus, il faut que ce qui est beau – qu'il s'agisse d'un être vivant ou de toute chose organisée – comporte non seulement un ordre dans l'agencement de ces parties, mais encore une étendue qui ne soit pas aléatoire, car la beauté réside dans l'étendue et dans l'ordre ; c'est pour cela qu'un bel être vivant ne doit être ni très petit (car la vision est confuse lorsqu'elle s'exerce durant un moment presque imperceptible) ni très grand (car alors on ne l'embrasse pas du regard, mais l'unité et la totalité échappent au regard : qu'on imagine par exemple un être qui serait long de plusieurs milliers de stades…).

Il s'ensuit que, de même que les corps et les êtres vivants doivent avoir une certaine étendue, mais telle qu'on puisse aisément l'embrasser par le regard, les histoires doivent elles-mêmes avoir une certaine étendue, mais telle que la mémoire puisse aisément la saisir.

La limite qu'on doit fixer à l'étendue, en considération des concours dramatiques et de la compréhension des spectateurs, ne relève pas de l'art, car s'il fallait représenter cent tragédies on le ferait contre la clepsydre, comme on l'a fait quelquefois, dit-on. Il y a pourtant une limite fixée par la nature même de la chose : plus l'histoire est étendue, tant qu'on peut en saisir l'ensemble, plus elle est belle par son ampleur. Pour fixer brièvement une limite, disons que l'étendue qui permet de passer du malheur au bonheur ou du bonheur au malheur à travers une série de situations se succédant selon la vraisemblance ou la nécessité constitue une limite satisfaisante.

VIII

L'unité de l'histoire ne tient pas, comme certains le pensent, au fait qu'elle a un héros unique, car la vie d'un même homme comporte un grand nombre, et même une infinité, d'événements qui ne constituent pas une unité ; de même, un grand nombre d'actions accomplies par un seul homme ne constituent pas une action unique. C'est pourquoi ils semblent être dans l'erreur, ces poètes qui ont composé une *Héracléide*, une *Théséide*, et d'autres poèmes de ce genre, en croyant que, du seul fait qu'il n'y a qu'un héros, Héraclès, l'histoire a nécessairement une unité.

Homère, supérieur à bien d'autres égards, paraît avoir vu juste sur ce point également, grâce à son art ou grâce à son génie propre : en composant l'*Odyssée*, il n'a pas relaté tous les événements survenus dans la vie d'Ulysse, par exemple le fait qu'il reçut une blessure sur le mont Parnasse ou qu'il simula la folie pendant le rassemblement des Grecs, parce que l'un de ces événements n'entraînait ni par nécessité ni par vraisemblance l'existence de l'autre, mais c'est autour d'une action unique, comme nous l'avons dit préalablement, qu'il a composé son *Odyssée*, tout comme son *Iliade*.

Il faut donc, de même que dans tous les autres arts d'imitation l'unité de l'imitation résulte d'une unité d'objet, que l'histoire – puisqu'elle est l'imitation d'une action – soit l'imitation d'une action une et formant un tout, et que les moments de l'action en soient agencés de telle manière que, si l'on déplace ou supprime l'un de ces moments, l'ensemble s'en trouve changé et bouleversé ; car ce qui peut s'ajouter ou ne pas s'ajouter sans effet flagrant n'est en rien l'élément d'un tout.

IX

Il résulte clairement de ce que nous avons dit que le rôle propre du poète n'est pas de dire ce qui est réellement arrivé, mais de dire ce qui pourrait arriver selon la vraisemblance ou selon la nécessité. En effet, la différence entre l'historien et le poète ne tient pas au fait que l'un compose en vers et l'autre en prose – on pourrait mettre l'œuvre d'Hérodote en vers, et ce n'en serait pas moins de l'Histoire, avec ou sans vers – mais en ce que l'un raconte des événements qui sont réellement arrivés, tandis que l'autre raconte des événements qui pourraient arriver.

C'est pourquoi la poésie est plus philosophique que l'Histoire, et lui est supérieure ; car la poésie traite plutôt du général, et l'Histoire du particulier. Le général, c'est ce qu'il arrive à tel ou tel de dire ou de faire selon la vraisemblance ou selon la nécessité ; tel est le but visé par la poésie, même si elle attribue ensuite des noms aux personnages. Le particulier, c'est ce qu'a fait Alcibiade, ou ce qui lui est arrivé.

C'est d'emblée manifeste pour la comédie, car c'est seulement après avoir composé une histoire au moyen d'actions vraisemblables que les poètes comiques donnent à leurs personnages des noms pris au hasard, contrairement aux poètes iambiques, qui composent sur des hommes singuliers.

Pour la tragédie en revanche, on s'en tient à des noms d'hommes qui ont existé : la cause en est que le possible est vraisemblable ; si nous ne croyons pas d'emblée en la vraisemblance d'événements qui ne sont pas arrivés, il est clair que ceux qui sont arrivés sont forcément possibles, car s'ils étaient impossibles ils ne seraient pas arrivés.

Cependant, dans certaines tragédies, un ou deux noms seulement font partie des noms connus, tandis que les autres sont inventés ; dans quelques-unes même, il n'y a pas un seul nom connu, par exemple dans l'*Anthée* d'Agathon : dans cette pièce, les faits et les noms sont également inventés, ce qui n'en diminue pas le charme. Il ne faut donc pas toujours s'en tenir aux histoires traditionnelles dont sont faites les tragédies. C'est même une exigence ridicule, puisque les histoires connues ne le sont que d'un petit nombre, mais charment également tout le monde.

Il est donc clair d'après ces remarques que le poète doit être plutôt faiseur d'histoires que faiseur de vers, puisqu'il est poète en tant qu'il imite, et que ce qu'il imite, ce sont des actions. Et dans le cas où il compose sur des événements qui se sont passés, il n'en est pas moins poète, car rien n'empêche que certains de ces événements qui ont eu lieu ne soient en eux-mêmes possibles, auquel cas il en est le poète.

Parmi les histoires et les actions simples, les plus mauvaises sont celles à épisodes. J'appelle « histoires à épisodes » celles où les épisodes se succèdent sans vraisemblance ni nécessité. De telles histoires sont composées par les mauvais poètes parce qu'ils sont mauvais, et par les bons poètes en fonction des acteurs ; car en composant leurs pièces pour les concours et en étirant leur histoire au-delà du possible, ils sont souvent obligés de tordre le cours des événements.

Puisque l'imitation a pour objet non seulement une action menée jusqu'à son terme, mais encore des événements aptes à susciter la crainte et la pitié, et puisque ces sentiments naissent surtout lorsque ces événements, tout en découlant les uns des autres, se produisent contre notre attente – car ils paraîtront alors plus étonnants que s'ils s'étaient produits spontanément ou par hasard (parmi les coups du hasard, ceux qui semblent s'être produits comme à dessein semblent les plus étonnants : c'est le cas, par exemple, de la statue de Mitys à Argos, qui tua l'assassin de Mitys en s'abattant sur lui pendant qu'il assistait à un spectacle, car de tels faits ne semblent pas se produire au hasard) –, il s'ensuit que de telles histoires sont nécessairement les plus belles.

X

Parmi les histoires, certaines sont simples, d'autres sont complexes, car les actions que les histoires imitent le sont elles aussi. J'entends par « action simple » une action qui se développe, comme nous l'avons dit, de manière cohérente et une, et telle que le changement du sort se réalise sans péripétie ni reconnaissance ; je nomme l'action « complexe » quand ce changement se réalise par reconnaissance ou péripétie, ou les deux ensemble.

Ces dernières doivent découler de la construction même de l'histoire, nécessairement ou selon la vraisemblance ; car il y a une grande différence dans le fait que tels événements arrivent à cause de ce qui précède, ou simplement après.

XI

Comme on l'a dit, la péripétie est le revirement de l'action en sens contraire ; et cela, une fois encore, selon la vraisemblance ou selon la nécessité. Ainsi, dans *Œdipe*, le messager qui arrive dans l'idée de réjouir Œdipe et de le rassurer à propos de sa mère produit l'effet contraire en lui révélant son identité ; de même, dans *Lyncée*, on emmène celui-ci pour le faire périr, et Danaos le suit pour le tuer, mais le développement de l'action fait que c'est Danaos qui périt, et l'autre qui est sauvé.

Comme son nom l'indique, la reconnaissance est un passage de l'ignorance à la connaissance, qui amène à l'amour ou à la haine de ceux qui sont voués au bonheur ou au malheur. La plus belle reconnaissance est celle qui s'accompagne d'une péripétie, comme celle qu'on trouve dans *Œdipe*.

Il y a encore bien d'autres reconnaissances : ce qu'on vient de dire peut aussi se produire avec des êtres inanimés, même les plus ordinaires, et le fait de savoir qui est l'auteur de tel ou tel acte peut être également l'occasion d'une reconnaissance.

Mais la reconnaissance qui convient le mieux à l'histoire et à l'action est celle que nous avons mentionnée ; car ce genre de reconnaissance, accompagnée d'une péripétie, suscitera la pitié ou la crainte, or c'est de telles actions que la tragédie est supposée être l'imitation. De plus, le malheur ou le bonheur découleront de ce genre d'actions.

Quand la reconnaissance a pour objets des personnes, dans certains cas c'est seulement l'une qui reconnaît l'autre lorsqu'il n'y a pas de doute sur l'identité de l'une des deux, mais dans d'autres cas la reconnaissance doit être mutuelle : par exemple Iphigénie est reconnue par Oreste par suite de l'envoi de la lettre, mais il lui faut à lui une autre reconnaissance, à l'égard d'Iphigénie.

Voilà donc deux éléments constitutifs de l'histoire : la péripétie et la reconnaissance ; il y en a un troisième, qui est l'événement pathétique. On a expliqué la péripétie et la reconnaissance ; quant à l'événement pathétique, c'est une action qui provoque destruction ou souffrance, telles les agonies exposées sur scène, les douleurs violentes, les blessures et toutes autres choses de ce genre.

XII

Nous avons parlé précédemment des éléments qui doivent constituer la tragédie, mais eu égard à son étendue, voici les parties selon lesquelles elle se divise : le prologue, l'épisode, l'exode et le chant du chœur, qui se divise à son tour en *parodos* et *stasimon*; ces divisions sont communes à toutes les tragédies, mais les chants qui viennent de la scène et les *kommoi* sont propres à certaines d'entre elles.

Le prologue est une partie de la tragédie qui forme un tout, et qui précède l'arrivée du chœur ; l'épisode est une partie de la tragédie qui forme aussi un tout, et qui s'intercale entre des chants complets du chœur ; l'exode est une partie de la tragédie formant un tout, qui n'est pas suivie de chants du chœur.

Parmi les chants du chœur, la *parodos* est le premier morceau prononcé par le chœur au complet, le *stasimon* est un chant du chœur qui ne comporte ni vers anapestiques, ni vers trochaïques et le *kommos* est un chant de lamentation commun au chœur et aux acteurs en scène.

Nous avons parlé d'abord des éléments constitutifs de la tragédie ; voici maintenant présentées les parties en lesquelles elle se divise, sous le rapport de son étendue.

XIII

À la suite de ce qu'on vient de dire, il va falloir préciser le but qu'il faut viser, les erreurs qu'il faut éviter en composant les histoires, et le moyen de produire l'effet propre à la tragédie.

Puisqu'il faut que la composition, dans la tragédie la plus belle, ne soit pas simple mais complexe, et qu'en outre la tragédie imite des événements qui suscitent la crainte et la pitié (c'est bien le propre de ce genre d'imitation), il est tout d'abord évident qu'on ne doit pas y montrer des hommes justes passant du bonheur au malheur (ce qui n'inspire ni crainte ni pitié, mais répugnance), ni des méchants passant du malheur au bonheur (de toutes les situations, c'est la plus éloignée du tragique, car elle n'inspire ni sympathie ni pitié ni crainte) ; on ne doit pas non plus y montrer de véritable scélérat passant du bonheur au malheur (ce genre de composition pourra peut-être inspirer la sympathie, mais pas la pitié ni la crainte, car l'une s'adresse à l'homme qui est malheureux sans l'avoir mérité, tandis que l'autre, la crainte, s'adresse à l'homme qui nous est semblable ; puisque la pitié s'adresse à un sort immérité, et que la crainte s'adresse à notre semblable, un événement de ce genre ne pourra inspirer ni l'une ni l'autre).

Reste donc le cas intermédiaire : celui d'un homme qui, sans être absolument vertueux ni juste, tombe dans le malheur non pas à cause de sa mauvaise nature et de sa méchanceté, mais du fait de quelque erreur, un de ces hommes dotés d'une belle renommée et d'une grande prospérité, tel qu'Œdipe, Thyeste et les membres illustres de ce genre de famille.

Pour être belle, il faut donc que l'histoire soit simple plutôt que double, comme certains l'affirment, et que le revirement du sort ne s'effectue pas du malheur vers le bonheur, mais au contraire du bonheur vers le malheur ; et ce revirement ne doit pas être l'effet de la méchanceté, mais plutôt d'une grave erreur d'un personnage tel que je viens de le définir, ou alors plutôt meilleur que pire. J'en vois la preuve dans les faits : les poètes d'autrefois composaient sur des histoires trouvées au hasard, tandis qu'aujourd'hui les plus belles tragédies sont formées sur l'histoire d'un petit nombre de familles, comme celles d'Alcméon, d'Œdipe, d'Oreste, de Méléagre, de Thyeste, de Télèphe et de tous ces autres personnages auxquels il est arrivé de subir ou de causer des malheurs terribles.

Voilà donc comment la tragédie doit être composée pour être la plus belle, selon les règles de l'art.

C'est justement l'erreur de ceux qui critiquent Euripide, que de lui reprocher de procéder de cette manière dans ses tragédies, en donnant à beaucoup d'entre elles un dénouement malheureux ; car cette manière est la bonne, comme nous l'avons dit. En voici une fort bonne preuve : à la scène et dans les concours, les œuvres de cette sorte, si elles sont bien formées selon les règles, sont manifestement les plus tragiques ; quant à Euripide, même s'il laisse à désirer par ailleurs, il semble bien être pourtant le plus tragique des poètes.

Ne vient qu'en second lieu la tragédie que certains placent au premier rang : celle qui, comme l'*Odyssée,* comporte un double agencement des situations et s'achève d'une manière opposée pour les bons et pour les méchants. C'est seulement la faiblesse du jugement des spectateurs qui lui donne cette première place – et les poètes suivent les spectateurs en composant pour répondre à leurs désirs. Mais le plaisir ainsi procuré n'est pas celui qui est propre à la tragédie ; c'est plutôt celui qui est propre à la comédie, car dans celle-ci des personnages qui, selon le mythe, sont les pires ennemis, tels Oreste et Égisthe, s'en vont à la fin comme de bons amis, et personne n'est tué par personne.

XIV

La crainte et la pitié peuvent sans doute naître du spectacle, mais elles peuvent naître aussi de l'agencement même des situations, ce qui est préférable et d'un meilleur poète. Il faut en effet composer l'histoire de telle sorte que, même sans les voir, celui qui entend simplement raconter les faits en frémisse et en soit pris de pitié : ce qu'on éprouverait en écoutant raconter l'histoire d'Œdipe. Produire cet effet au moyen du spectacle relève moins de l'art et n'exige que des ressources matérielles.

Quant à ceux qui, par le biais du spectacle, ne provoquent pas la peur mais l'horreur, ils n'ont rien de commun avec la tragédie, car il ne faut pas chercher à procurer n'importe quel plaisir avec la tragédie, mais bien celui qui lui est propre. Et puisque le poète doit procurer le plaisir qui vient de la pitié et de la crainte par le biais de l'imitation, il est clair qu'il doit faire naître ce plaisir des situations.

Voyons donc parmi les événements lesquels appellent la crainte, lesquels la pitié.

Nécessairement ce genre d'actions concerne des gens qui sont amis ou ennemis, ou ni l'un ni l'autre. Si l'ennemi s'en prend à l'ennemi, qu'il en vienne aux actes ou qu'il s'en tienne à l'intention, rien n'appellera la pitié, sauf pour l'événement pathétique lui-même ; de même dans le cas de ceux qui ne sont ni amis ni ennemis. En revanche, les cas où l'événement pathétique a lieu entre des proches – par exemple si un frère tue ou veut tuer son frère, un fils son père, une mère son fils ou un fils sa mère, ou si l'un d'eux entreprend contre l'autre quelque autre action de ce genre –, ce sont justement ces cas qu'il faut rechercher.

Or il n'est pas permis de modifier les mythes de la tradition, je veux dire par exemple le fait que Clytemnestre soit tuée par Oreste, ou Ériphyle par Alcméon, mais le poète doit aussi trouver comment faire un bon usage de ces données de la tradition. Ce qu'on entend par un bon usage, disons-le plus clairement.

L'action peut se dérouler comme chez les anciens poètes, les personnages connaissant leurs victimes et les identifiant, comme l'a fait Euripide pour Médée tuant ses enfants. Mais il est aussi possible que les personnages exécutent le crime sans le savoir, et qu'ils reconnaissent ensuite leur parenté avec la victime, comme l'Œdipe de Sophocle. Dans ce cas l'exécution de l'acte a lieu hors du drame, mais elle peut arriver dans la tragédie même : c'est le cas de l'Alcméon d'Astydamas ou de Télégonos dans *Ulysse blessé*.

Il peut y avoir encore un troisième cas : sur le point de commettre par ignorance quelque acte irréparable, le personnage reconnaît sa victime avant de le commettre. Il ne peut y avoir d'autre cas en dehors de ceux-là, car nécessairement on agit, ou n'agit pas, en sachant ou en ne sachant pas.

Parmi ces cas, le plus faible est celui où le personnage sait, s'apprête à exécuter, mais ne le fait pas : cette situation suscite la répugnance, mais n'est pas tragique, faute d'événement pathétique. C'est pourquoi aucun poète ne présente ce genre de situation, ou alors rarement : c'est par exemple, dans *Antigone*, l'attitude d'Hémon à l'égard de Créon. Vient en second lieu le cas où l'action est exécutée ; il vaut mieux alors que le personnage agisse sans savoir et reconnaisse après avoir agi, car il n'y a pas alors de répugnance, et la reconnaissance surprend.

Le dernier cas est le meilleur. Dans *Cresphontès*, par

exemple, Méropé veut tuer son fils, mais elle ne le tue pas et le reconnaît. Il en va de même dans *Iphigénie*, pour la sœur à l'égard de son frère, et dans *Hellé*, pour le fils qui reconnaît sa mère alors qu'il s'apprête à la livrer.

C'est pour cette raison, comme on l'a dit précédemment, que les tragédies ne se rapportent pas à un grand nombre de familles. Ce n'est pas leur art, mais un heureux hasard qui a permis aux poètes de trouver dans les mythes, au cours de leurs recherches, le moyen de combiner de telles situations ; ils sont donc obligés de se limiter à ces familles où de tels malheurs se sont produits.

Voilà pour ce qui concerne l'agencement des faits, et pour savoir comment doivent être les histoires.

XV

S'agissant des caractères, il faut viser quatre objectifs.

Le premier est qu'ils soient bons. Comme on l'a dit, il y aura un caractère si les paroles ou les actes révèlent une détermination. Le caractère sera bon si cette détermination est bonne. Cela est possible pour chaque genre de personnage, car une femme aussi peut être bonne, et aussi un esclave, même si, de ces deux genres, l'un est plutôt inférieur, et l'autre tout à fait.

Le deuxième objectif est la convenance du caractère. On peut donner la virilité comme caractère à un personnage, mais il ne convient pas à une femme d'être virile ou trop intelligente.

Le troisième objectif est la ressemblance, car celle-ci diffère de la bonté et de la convenance.

Le quatrième objectif est la cohérence, car même si le personnage imité est incohérent et doit avoir ce type de caractère, il faut encore qu'il soit incohérent de manière cohérente.

Comme exemple de caractère inutilement mauvais, on peut citer celui de Ménélas dans *Oreste*; pour le manque de conformité et convenance, les lamentations d'Ulysse dans le *Scylla* et le discours de Mélanippe[10]; pour l'incohérence, *Iphigénie à Aulis*, car l'Iphigénie suppliante ne ressemble en rien à ce qu'elle sera ensuite.

Il faut aussi chercher toujours, dans les caractères comme dans l'agencement des situations, le nécessaire ou le vraisemblable, de façon qu'il soit nécessaire ou vraisemblable que tel personnage parle ou agisse ainsi, et que ceci ait lieu à la suite de cela.

Il est donc clair que le dénouement des histoires doit résulter lui aussi de l'histoire elle-même, et non d'une intervention d'un *deus ex machina* comme dans *Médée*, ou dans l'*Iliade* au moment du rembarquement. On ne doit recourir à une intervention divine que pour des événements situés hors du drame, soit pour des événements qui se sont passés avant et que le personnage ne peut connaître, soit pour des événements qui se passent après et qui ont besoin d'être prédits ou annoncés : car nous accordons aux dieux

POÉTIQUE

le don de tout voir. Mais il ne doit rien y avoir d'irrationnel dans les actes qui se produisent, et s'il y en
avait, ce devrait être en dehors de la tragédie, comme
dans l'*Œdipe* de Sophocle.

Puisque la tragédie imite des hommes meilleurs que
nous, il faut imiter les bons portraitistes, car pour
rendre la forme propre du modèle, ils peignent en
plus beau, tout en faisant des portraits ressemblants.
Ainsi, quand le poète imite des hommes violents,
lâches ou ayant d'autres traits de caractère de ce
genre, il doit les rendre remarquables, même avec ces
défauts : telle est par exemple la dureté d'Achille chez
Agathon et chez Homère.

Voilà ce à quoi il faut veiller, et il faut aussi tenir
compte des sensations nécessairement produites par
l'art du poète, car là aussi on peut souvent se trom-
per. Mais on en a souvent parlé dans les ouvrages
publiés.

XVI

On a dit plus haut ce qu'est la reconnaissance.
Quant à ses espèces, il y a d'abord celle qui est la plus
étrangère à l'art, mais qu'on utilise très souvent faute
d'autre échappatoire : la reconnaissance par des
signes extérieurs. Parmi ces signes, les uns sont de
naissance, comme « la lance que portent les Fils de la
Terre » ou les étoiles du *Thyeste* de Carcinos, les autres
sont acquis, soit qu'ils tiennent au corps comme des

cicatrices, soit qu'ils en soient détachés comme des colliers, ou comme la corbeille dans *Tyro*.

On peut d'ailleurs faire un usage meilleur ou moins bon de ces signes ; ainsi Ulysse est-il reconnu à sa cicatrice d'une manière différente par sa nourrice et par les porchers. Les reconnaissances par lesquelles on veut s'assurer d'une identité et toutes celles du même genre sont plus étrangères à l'art, tandis que celles qui découlent d'une péripétie, comme dans la scène du bain, sont meilleures.

Viennent en deuxième lieu les reconnaissances élaborées par le poète, et pour cette raison étrangères à l'art. C'est ainsi qu'Oreste se fait reconnaître dans *Iphigénie*. Iphigénie est reconnue grâce à la lettre, mais Oreste prononce des paroles que le poète impose, qui ne découlent pas de l'histoire elle-même. C'est ce genre de faute que j'ai déjà signalée, car Oreste aurait pu aussi bien porter sur lui quelque signe. J'en dirais autant pour la voix de la navette dans le *Térée* de Sophocle.

La troisième espèce de reconnaissance vient de la mémoire : la vue d'un objet la provoque, comme dans les *Cypriens* de Dicéogénès, où un personnage se met à pleurer en contemplant un tableau ; de même, lors du récit fait à Alcinoos, Ulysse entend le cithariste, se souvient et fond en larmes ; c'est ainsi que ces personnages se reconnaissent.

La quatrième espèce de reconnaissance vient d'une déduction, comme dans les *Choéphores* où le raisonnement est le suivant : quelqu'un est venu, qui me ressemble ; or personne ne me ressemble, sauf Oreste ; c'est donc bien lui qui est venu. C'est aussi la reconnaissance qu'imagine Polyidos le sophiste pour Iphigénie. Il est vraisemblable en effet qu'Oreste rapproche le fait que sa sœur a été sacrifiée de ce que lui-même va l'être. De même, dans le *Tydée* de Théodecte, il apparaît vraisemblable que, venu pour trouver son fils, il soit mis à mort. Pareillement, dans les *Phinéides*, après avoir considéré le lieu, ces femmes en déduisent que leur sort est de mourir là, puisque c'est là qu'elles ont été exposées.

Il y a encore une autre reconnaissance qui repose sur un raisonnement mal fondé du public, comme dans *Ulysse le faux messager*. Le fait qu'Ulysse soit le seul à bander l'arc et qu'il a déclaré pouvoir le reconnaître sans l'avoir vu est posé par le poète comme une hypothèse ; faire reconnaître Ulysse à partir de cette hypothèse, c'est compter sur un mauvais raisonnement[11].

La meilleure de toutes les reconnaissances est celle qui découle des événements eux-mêmes, car l'effet de surprise se produit selon les lois de la vraisemblance, comme dans l'*Œdipe* de Sophocle et dans *Iphigénie* : il est naturel qu'Iphigénie veuille confier une lettre. Seules les reconnaissances de cette espèce évitent les artifices, signes et autres colliers.

Viennent en second lieu celles qui se basent sur une déduction.

XVII

Il faut en outre composer les histoires et les développer jusqu'à l'expression verbale en se mettant le plus possible les situations sous les yeux, car en les voyant ainsi nettement comme si l'on assistait aux événements eux-mêmes, on trouvera ce qui convient et on évitera les contradictions. À preuve, le reproche adressé à Carcinos : son Amphiaraos revenait du sanctuaire, et ce détail pouvait échapper quand on ne voyait pas la pièce représentée, mais à la scène la pièce tomba parce que les spectateurs en avaient été choqués.

Il faut encore développer les histoires en recourant à des gestes. Ceux qui épousent des passions sont en effet plus aptes à nous persuader de leur naturel, et qui ressent le trouble sait troubler, et qui éprouve la colère s'emporte avec plus de vérité. C'est pourquoi l'art poétique appartient aux hommes d'un tempérament vigoureux ou exalté. Les uns sont plus aptes à se modeler, les autres à sortir d'eux-mêmes.

Qu'il s'agisse de sujets déjà traités ou inventés par le poète, il faut d'abord en exposer le schéma d'ensemble, et ensuite seulement le diviser en épisodes et le déployer.

Voici comment on peut se représenter ce schéma d'ensemble, en prenant l'exemple d'*Iphigénie* :

Une jeune fille a été sacrifiée et a disparu à l'insu des sacrificateurs ; elle a été transportée dans une autre contrée où l'usage est de sacrifier les étrangers à la déesse, et a été vouée à ce culte. Plus tard, arrive le frère de la prêtresse. L'ordre que le dieu lui a donné d'aller là-bas pour une raison extérieure au schéma d'ensemble, comme l'objet de son voyage, sont extérieurs à l'histoire. Saisi à son arrivée, sur le point d'être sacrifié, le frère se fait reconnaître – de la manière imaginée par Euripide ou de celle imaginée par Polyidos, le frère disant, ce qui est vraisemblable, que ce n'est pas seulement sa sœur, mais lui-même aussi, qui va être sacrifié – et son salut découle de cette révélation.

Après cela, une fois qu'on a donné leurs noms aux personnages, il faut introduire des épisodes appropriés tels que, pour Oreste, la folie qui cause son arrestation et le salut que doit lui apporter sa purification.

Dans les drames, les épisodes sont brefs, alors qu'ils se prolongent dans l'épopée. En effet, l'argument de l'*Odyssée* n'est pas long : un homme erre loin de son pays pendant de nombreuses années, étroitement surveillé par Poséidon, et tout seul. Dans sa maison, les choses se déroulent de telle manière que ses biens sont dilapidés par des prétendants et que son fils est livré à leurs machinations. Il arrive, assailli de craintes, et, s'étant fait reconnaître par quelques-uns, il passe à l'attaque, se sauve lui-même et tue ses ennemis.

Voilà pour le sujet lui-même : tout le reste n'est qu'épisodes.

XVIII

Il y a dans toute tragédie un nœud et un dénouement ; souvent, des faits extérieurs à la tragédie et un certain nombre de faits qui s'y déroulent constituent le nœud, tandis que le reste constitue le dénouement. J'appelle « nœud » ce qui va du début jusqu'à cette dernière partie d'où procède le revirement vers le bonheur ou le malheur, et « dénouement » la tragédie depuis le début de ce revirement jusqu'à la fin. Ainsi, dans le *Lyncée* de Théodecte, le nœud comprend les événements antérieurs et l'enlèvement de l'enfant, et en outre…. *[une partie du texte manque]*, tandis que le dénouement va de l'accusation du meurtre jusqu'à la fin.

Il y a quatre espèces de tragédies (c'est aussi le nombre des éléments qu'on a distingués) : la tragédie complexe qui consiste entièrement en péripétie et reconnaissance, la tragédie pathétique, comme les *Ajax* et les *Ixion*, la tragédie de caractère, comme les *Femmes de Phtie* et *Pélée*, … *[texte définitivement altéré]* et puis celle qui recourt au monstrueux, comme les *Phorcides*, le *Prométhée*, et toutes ces histoires qui se déroulent dans l'Hadès.

Il faut faire le mieux possible pour posséder tous ces éléments, ou au moins la plupart d'entre eux, surtout si l'on considère les critiques adressées aujourd'hui aux poètes ; en effet, comme certains ont excellé dans chacun des éléments qui constituent la tragédie, on voudrait qu'un poète surpasse à lui seul chacun·d'eux dans l'élément où il a excellé.

Du reste, pour qu'on puisse dire qu'une tragédie diffère d'une autre, ou qu'elle est la même, rien ne vaut l'histoire. L'histoire est la même quand il y a le même nœud et le même dénouement. Mais beaucoup, après avoir bien noué l'intrigue, la dénouent mal ; or il faut exceller dans l'un et l'autre.

Il faut se rappeler ce qu'on a dit plusieurs fois : ne pas faire une tragédie de tout un ensemble épique – je veux dire d'une multiplicité d'histoires – comme si on voulait composer, par exemple, une tragédie de toute l'histoire de l'*Iliade*. Dans celle-ci, en effet, grâce à la longueur de l'œuvre, les épisodes reçoivent le développement qui leur convient, alors que dans les drames cette abondance est décevante. La preuve en est que tous ceux qui ont composé une histoire du sac de Troie dans son entier, et non en parties, comme l'a fait Euripide, que ceux qui ont développé l'histoire de Niobé tout entière au lieu de faire comme Eschyle, échouent ou perdent dans les concours, car il est arrivé à Agathon lui-même d'échouer pour cette seule raison.

Dans les péripéties et les actions simples, les poètes atteignent merveilleusement leur but, qui est de susciter l'émotion tragique et la sympathie. C'est le cas chaque fois qu'un personnage intelligent mais méchant comme l'est Sisyphe est berné, et chaque fois qu'un personnage courageux mais injuste est vaincu. Ceci est vraisemblable, comme le dit Agathon, car il est vraisemblable qu'il arrive bien des choses contraires à la vraisemblance.

Le chœur doit être considéré comme l'un des acteurs et doit coopérer à toute l'action, non comme chez Euripide mais comme chez Sophocle. Or chez la plupart des poètes les chants n'ont pas plus de rapport à l'histoire qu'à celle d'une autre tragédie : on y chante des intermèdes dont l'origine remonte à Agathon. Cependant, y a-t-il une différence entre chanter des intermèdes et accommoder d'une œuvre à l'autre une tirade ou un épisode entier ?

XIX

Maintenant que nous avons parlé des autres éléments constitutifs de la tragédie, il nous reste à parler de l'expression verbale et de la pensée.

Ce qui concerne la pensée, on le trouvera dans les traités de rhétorique, car c'est plutôt propre à cette étude. Appartient au domaine de la pensée tout ce qui doit être établi par les mots. La pensée comporte ces opérations : démontrer, réfuter, susciter des passions comme la pitié, la crainte, la colère et toutes les autres passions de ce genre, et aussi amplifier ou réduire.

Il est évident qu'il faut aussi traiter les faits selon ces principes lorsqu'il faut produire la pitié, la crainte, la grandeur ou la vraisemblance. La différence est qu'ici ces effets doivent opérer sans l'expression verbale, tandis que les effets propres au langage doivent être obtenus par la parole de celui qui s'exprime et doivent naître de ses paroles mêmes. Car à quoi servirait qu'un personnage parle si sa pensée se manifestait sans se dégager de ses mots?

En ce qui concerne l'expression verbale, on peut examiner la question des règles de l'élocution, mais leur connaissance appartient à l'art de l'acteur et au spécialiste en la matière : savoir par exemple comment rendre un ordre, une prière, un récit, une menace, une question, une réponse, et toutes autres choses de ce genre. Mais on ne peut pas faire état de la connaissance ou de l'ignorance de ces règles pour adresser à l'art poétique un reproche valable; comment admettrait-on le reproche fait par Protagoras à Homère, de donner un ordre alors qu'il croit adresser une prière en disant : « Chante, déesse, la colère… »? Selon lui, en effet, dire de faire ou de ne pas faire une chose, c'est donner un ordre.

Mais laissons cela de côté comme relevant d'une autre discipline, et non de la poétique.

XX

L'expression verbale prise dans son ensemble comporte les divisions suivantes : la lettre, la syllabe, la conjonction, le nom, le verbe, l'article, la terminaison du mot et la proposition[12].

La lettre est un son indivisible, pas n'importe lequel, mais celui dont la nature permet de tirer un son articulé, car les bêtes émettent elles aussi des sons indivisibles, mais je ne donne à aucun d'eux le nom de lettre.

La lettre comprend : la voyelle, la semi-voyelle et la consonne. La voyelle est la lettre qui rend un son audible sans qu'il y ait un rapprochement des parties de la bouche ; la semi-voyelle est une lettre dont le son est rendu audible par ce rapprochement, par exemple le **S** et le **R**. La consonne muette est la lettre qui, en comportant ce rapprochement, ne rend en elle-même aucun son et ne devient audible qu'associée aux lettres qui ont un son, par exemple le **G** et le **D**.

Ces lettres diffèrent selon les formes des mouvements de la bouche et selon le lieu d'où elles sont émises, selon la présence ou l'absence d'aspiration, la longueur ou la brièveté, et selon l'intonation aiguë, grave ou intermédiaire. Chacun de ces points doit être étudié en détail dans les traités de métrique.

La syllabe est un son dépourvu de signification, composé d'une consonne et d'une lettre sonore ; car le son **GR** est une syllabe, associé ou non au **A** : **GRA**. Mais ici encore la connaissance de ces détails appartient à la métrique.

La conjonction est un son dépourvu de signification, qui ne peut ni empêcher ni causer la formation d'une seule expression signifiante aux extrémités ou au milieu, et qui ne peut se placer isolément au début d'une phrase, par exemple *men, dè, toi, de.* Ou bien c'est un son dépourvu de signification qui cause par nature la formation d'une seule expression signifiante à partir de plusieurs sons qui ont un sens[13].

L'article est un son dénué de signification qui indique le début, la fin ou la division de la phrase, par exemple *amphi*, *peri*, etc., ou un son dénué de signification qui n'empêche ni ne cause la formation, à partir de plusieurs sons, d'une expression signifiante, et qui se place par nature aux extrémités.

Le nom est un son composé et doté de signification, sans idée de temps, et dont aucune partie n'a de sens par elle-même, car dans les noms composés, nous ne donnons pas aux parties leur sens particulier : par exemple dans le nom Théodore, « dore » ne comporte pas de sens.

Le verbe est un son composé de sons significatifs, comportant l'idée de temps, mais dont aucune partie n'est signifiante en elle-même, comme c'est le cas dans les noms. « Homme » et « blanc » n'indiquent pas le temps, mais dans « il marche » et « il a marché », l'indication du temps, présent ou passé, s'ajoute au sens.

La terminaison du mot affecte le nom ou le verbe ; elle indique une relation d'appartenance, d'attribution, ou d'autres semblables, ou encore elle distingue le singulier du pluriel, par exemple « hommes » ou « homme », ou bien les modes d'expression du personnage qui parle, comme lorsqu'il formule une question ou un ordre ; par exemple « marcha-t-il ? » ou « marche ! » sont des modifications du verbe de cet ordre.

La proposition est un son composé doté de signification, dont certaines parties ont en elles-mêmes un sens (car toute proposition ne comporte pas forcément verbe et nom : on peut aussi trouver une proposition sans verbe, comme par exemple la définition de l'homme ; cependant la proposition devra toujours contenir une partie signifiante), par exemple « Cléon » dans la proposition « Cléon marche ». Le propos[14] peut être un de deux manières, soit en signifiant une seule chose, soit en étant composé de plusieurs parties liées ensemble ; c'est ainsi que l'*Iliade* est une par la liaison de ses parties, et que la définition de l'homme est une parce qu'elle signifie une seule chose.

XXI

Quant aux espèces du nom, il y a le nom simple – j'appelle « simple » celui qui n'est pas composé de parties signifiantes, par exemple *gè* (la terre) – et le nom double. Celui-ci est composé ou bien d'une partie signifiante et d'une autre dénuée de signification – mais ce n'est pas à l'intérieur du nom même que ces parties sont signifiantes ou non – ou bien de parties dotées de signification. On peut aussi trouver des noms triples, quadruples ou multiples, comme le sont beaucoup de noms, par exemple chez les Marseillais, ainsi : *Hermocaïcoxanthe.*

Par ailleurs, tout nom est ou bien un nom courant, ou bien un nom rare, ou une métaphore ou un ornement, ou encore un nom inventé par un auteur, allongé ou raccourci, ou modifié par lui.

J'appelle « nom courant » celui qu'utilise chacun d'entre nous, et « mot rare » celui qu'utilisent d'autres hommes que nous, de sorte qu'évidemment un même nom peut être rare ou courant, mais pas pour les mêmes gens ; par exemple « *sigynon* » (javelot) est un nom courant pour les Chypriotes, mais un nom rare pour nous.

La métaphore consiste à donner à une chose un nom qui lui est étranger en glissant du genre à l'espèce ou de l'espèce au genre, ou de l'espèce à l'espèce, ou bien selon un rapport d'analogie. Par glissement du genre à l'espèce, je veux dire par exemple : « voici ma nef arrêtée », puisque être mis à l'ancre est une manière parmi d'autres d'être arrêté. Par glissement de l'espèce au genre, par exemple : « Ulysse, certes, a accompli dix mille exploits », car dix mille, c'est beaucoup, et le poète emploie cette expression pour dire « beaucoup ». Par glissement de l'espèce à l'espèce, par exemple : « ayant par son airain épuisé sa vie », ou encore : « ayant coupé, par l'inusable airain... », car ici épuiser veut dire couper, et couper veut dire épuiser, et tous deux sont des façons de retirer.

Par rapport d'analogie, j'entends tous les cas où le second terme est au premier ce que le quatrième est au troisième ; on emploie le quatrième au lieu du deuxième, et le deuxième au lieu du quatrième, et parfois on ajoute l'objet à propos duquel se fait le rapport en le mettant à la place de celui qui est propre. Pour me faire comprendre par un exemple : il y a le même rapport entre la coupe et Dionysos qu'entre le bouclier et Arès. Le poète dira donc que la coupe est « le bouclier de Dionysos », et que le bouclier est « la coupe d'Arès ». Ainsi y a-t-il le même rapport entre la vieillesse et une vie qu'entre le soir et un jour ; on dira donc, avec Empédocle, que le soir est « la vieillesse du jour », et que la vieillesse est « le soir de la vie », ou « le couchant de la vie ».

Dans certains cas il n'y a pas de nom existant pour désigner l'un des termes de l'analogie, mais on exprimera quand même un rapport de similitude. Par exemple, on nomme « semer » l'action de jeter des graines, mais il n'y a pas de terme pour désigner l'action du soleil qui jette ses rayons. Cependant, le rapport de cette action aux rayons du soleil est le même que celui de l'acte de semer à la graine, c'est pourquoi on a dit : « semant de divins rayons ». On peut encore utiliser ce genre de métaphore d'une autre manière : après avoir désigné une chose par le nom d'une autre, on nie l'une des qualités qui s'attachent à cette dernière ; par exemple, au lieu d'appeler le bouclier « la coupe d'Arès », on l'appellerait « la coupe sans vin ».

Le nom inventé est celui qui n'est employé par absolument personne, et que le poète établit à son gré. C'est le cas, semble-t-il, de certains noms, par exemple *ernuges* pour désigner des cornes, et *arètèr* pour un prêtre.

Le nom peut être allongé ou écourté ; il est allongé quand on y met une voyelle plus longue que la voyelle propre ou quand on y intercale une syllabe ; il est écourté quand on en retranche quelque chose. Par exemple *poleôs* est allongé en *polèos*, *pèleidou* en *pèlèia-deô* ; exemples de mots écourtés : *kri*, *dô*, et *ops*, dans « *mia ginetai amphoterôn ops* ».

Le nom est modifié quand on laisse subsister une partie du nom courant et qu'on invente l'autre : par exemple *dexiteron kata mazdon*, au lieu de *dexion*.

En eux-mêmes, les noms sont masculins, féminins, et d'autres sont intermédiaires. Sont masculins tous ceux qui se terminent par *n*, *r* ou *s*, ainsi que par les lettres qui contiennent le *s* (il y en a deux : *psi* et *xi*). Sont féminins tous ceux qui se se terminent par les voyelles qui sont toujours longues – par exemple les mots terminés en *è* et *ô*, ou par le *a* long. Le nombre de terminaisons possibles se trouve donc être le même pour les noms masculins, puisque le *psi* et le *xi* sont comme le *s*. De plus, aucun nom ne se termine par une consonne muette ni par une voyelle brève. Il n'y a que trois noms qui se terminent en *i* : *meli*, *kommi*, *peperi*, et cinq qui se terminent par *u*. Les noms intermédiaires se terminent par l'une de ces lettres, ou par *n* ou par *s*.

XXII

La qualité de l'expression verbale est d'être claire sans être banale. Elle est tout à fait claire quand elle se compose de noms courants, mais alors elle est banale ; par exemple la poésie de Cléophon et celle de Sthénélos. Elle est noble et échappe à la banalité quand elle utilise des mots étranges. Je veux dire par là le mot rare, la métaphore, le mot allongé, et tout ce qui s'écarte de l'usage courant. Mais si l'on compose uniquement avec des mots de ce genre, on obtiendra une énigme ou un charabia : une énigme si l'on n'use que de métaphores, un charabia si l'on n'use que de mots rares. Car le principe de l'énigme est en effet, tout en parlant d'une réalité, d'établir des liaisons impossibles ; quand on assemble les autres noms, on ne peut pas le faire, mais c'est possible en assemblant des métaphores ; par exemple : « j'ai vu un homme coller avec du feu du bronze sur un homme[15] », et autres énigmes de ce genre. Par l'accumulation des mots rares, on produit un charabia.

Il faut donc en quelque sorte un mélange de ces noms. On évitera la banalité et la platitude par le mot rare, la métaphore, l'ornement et les autres espèces de noms dont on a parlé, et le nom courant fera la clarté.

Ce qui contribue pour une très grande part à produire la clarté de l'expression sans tomber dans la banalité, ce sont les allongements, les raccourcissements et les modifications des noms ; car ces termes, en s'écartant de la forme courante et ordinaire, permettront d'éviter la banalité de l'expression, alors que la clarté restera parce qu'ils sont cependant d'usage courant. C'est pourquoi ceux qui blâment un tel mode d'expression et raillent le poète dans leurs comédies ont tort ; par exemple Euclide l'Ancien, qui dit qu'il est facile de composer des vers si l'on vous donne le droit d'allonger à volonté les syllabes. Il a d'ailleurs composé des vers satiriques dans ce même langage : « *Epicharèn eidon Marathônade badizdonta* » et « *ouk an g'eramenos ton ekeinou elleboron* ».

User trop visiblement, en quelque sorte, de ce mode d'expression devient ridicule, et il faut de la mesure dans chaque partie de l'expression. En effet, si l'on use hors de propos des métaphores et des mots rares, on arrivera au même résultat que si on le faisait pour faire produire un effet comique.

Combien l'usage convenable en diffère, on s'en rendra compte en introduisant dans les vers épiques des noms courants. Si l'on remplace les noms rares, les métaphores et les autres formes de ce genre par des noms courants, on verra que nous disons vrai. Ainsi Eschyle et Euripide ont-ils composé le même vers iambique, mais Euripide a changé un seul nom, en remplaçant un nom courant par un mot rare, si bien que l'un des vers paraît beau et l'autre commun. En effet, Eschyle disait dans son *Philoctète* : « le chancre qui mange les chairs de mon pied ». Euripide a remplacé « mange » par « festoie ». De même, si dans le vers :

« mais pour lors c'est un misérable, un pleutre et un importun qui vient me... », on substituait aux autres des mots courants en disant : « mais en fait, c'est un homme petit, faible et mal conformé qui vient me... », ou bien si, au lieu de : « ayant disposé un siège malséant et une table indigente », on disait : « ayant placé une vilaine chaise et une petite table », ou bien encore si l'on disait : « le cri de la rive » au lieu de : « le hurlement du rivage ».

Ajoutons qu'Ariphradès raillait les tragédiens dans ses comédies sous prétexte qu'ils utilisent des tournures que personne n'utiliserait dans la conversation, comme *dômatôn apo* au lieu d'*apo dômatôn*, *sethen* et *egô de nin*, et *Achilleôs peri* au lieu de *peri Achilleôs*, et toutes les autres tournures de ce genre. C'est que toutes ces tournures, parce qu'elles ne sont pas courantes, s'opposent à la banalité de l'expression ; ce qu'Ariphradès voulait ignorer.

S'il est important d'utiliser convenablement chacune de ces formes dont on a parlé, comme les noms doubles et les mots rares, il est beaucoup plus important de produire des métaphores ; c'est en effet la seule chose qu'on ne peut emprunter à autrui, et cela montre des dons naturels, car faire de bonnes métaphores, c'est observer des ressemblances.

Les noms doubles conviennent surtout aux dithyrambes, les noms rares aux vers héroïques et les métaphores aux iambes. Du reste, dans les vers héroïques on peut user de toutes les formes dont on a parlé, mais pour les vers iambiques, puisqu'ils imitent au

plus près la langue courante, ne conviennent que les
noms dont on peut user dans la conversation, c'est-
à-dire le nom courant, la métaphore et l'ornement.

Voilà donc qui suffit, selon nous, sur la tragédie et
sur l'imitation au moyen d'une action.

XXIII

En ce qui concerne l'imitation narrative en vers, il
est clair qu'il faut y composer l'histoire comme dans
les tragédies, de façon qu'elle soit dramatique et
qu'elle tourne autour d'une seule action complète
menée jusqu'à son terme, ayant un commencement,
un milieu et une fin, pour qu'elle procure le plaisir
qui lui est propre, comme un être vivant qui est un et
qui forme un tout. Il est clair aussi que la composition
ne doit pas y être semblable à celle des récits historiques, dans lesquels ce qu'il faut faire voir n'est pas
une seule action, mais une seule époque comportant
tous les événements qui se sont produits alors pour un
seul homme ou pour plusieurs, et qui n'entretiennent
chacun avec les autres qu'un rapport de circonstance.
C'est à la même époque, en effet, qu'eurent lieu la
bataille navale de Salamine et la bataille livrée par les
Carthaginois en Sicile, mais elles n'avaient nullement
la même fin. De même, il est fréquent qu'un événement arrive après un autre dans une succession tem-
porelle, sans qu'ils aient une fin commune. Or bien
des poètes procèdent ainsi.

C'est pourquoi Homère, comme on l'a déjà dit, peut apparaître sur ce point encore comme un poète merveilleux entre tous, puisque ce n'est pas toute la guerre de Troie, bien qu'elle eût commencement et fin, qu'il a entrepris de traiter dans son poème : l'histoire aurait alors été trop longue et on n'aurait pas pu l'embrasser d'un seul regard ; et s'il en avait limité la longueur, elle aurait dérouté par la grande diversité des événements. Il n'a donc retenu qu'une partie de la guerre, et il a tiré du reste des épisodes, comme le *Catalogue des vaisseaux*, et d'autres, dont il parsème son poème.

Les autres poètes, en revanche, composent autour d'un seul personnage, d'une seule époque ou d'une seule action, mais composée de parties multiples, comme l'ont fait l'auteur des *Chants cypriens* et celui de la *Petite Iliade*. C'est pourquoi on peut composer à partir de l'*Iliade* et de l'*Odyssée* une tragédie ou deux, tandis qu'on peut en tirer plusieurs des *Chants cypriens*, et au moins huit de la *Petite Iliade*, par exemple *Le Choix des armes, Philoctète, Néoptolème, Eurypyle, Ulysse mendiant, Les Lacédémoniennes, Le Sac de Troie, Le Retour de l'escadre, Sinon* et *Les Troyennes*.

XXIV

En outre l'épopée doit comprendre les mêmes espèces que la tragédie, c'est-à-dire qu'elle doit être simple ou complexe, ou construite autour des caractères, ou pathétique. Et ses éléments aussi, hormis le chant et le spectacle, sont les mêmes, car il y faut également péripéties, reconnaissances, événements pathétiques, ainsi que des qualités de pensée et d'expression, toutes choses qu'Homère a utilisées le premier à la perfection. En effet, il a composé chacun de ses deux poèmes de manière à faire de l'*Iliade* un poème simple et pathétique, et de l'*Odyssée* un poème complexe – puisqu'elle consiste d'un bout à l'autre en reconnaissances – et un poème de caractère ; enfin il l'emporte sur tous les poètes par l'expression et la pensée.

En revanche l'épopée se distingue de la tragédie par la longueur de la composition et par le mètre. Pour la longueur, la mesure que nous avons indiquée est la bonne : il faut qu'on puisse embrasser d'un seul regard le commencement et la fin. Ce serait le cas si les compositions étaient plus courtes que les anciennes et équivalaient à peu près à l'ensemble des tragédies qu'on présente à une même audition[16]. L'épopée a une caractéristique importante qui lui permet de développer son étendue : s'il n'est pas possible d'imiter dans la tragédie plusieurs parties de l'action qui se déroulent en même temps, mais seulement celle que jouent les acteurs sur la scène, comme l'épopée est un récit, on peut au contraire y traiter plusieurs parties de l'action simultanées, et si ces parties sont appropriées au sujet, elles ajoutent à l'ampleur du poème. L'épopée a donc l'avantage de donner de la grandeur à l'œuvre, de procurer à l'auditeur le plaisir du changement et d'introduire une variété d'épisodes, car c'est le fait de se maintenir dans le semblable qui amène une lassitude dans les tragédies et les fait échouer.

L'expérience montre que le mètre héroïque convient bien à l'épopée. Employer en effet dans une imitation narrative un autre mètre, ou plusieurs autres, semblerait impropre, car le mètre héroïque est le plus lent et le plus majestueux de tous, et il admet au mieux, de ce fait, les mots rares et les métaphores ; à cet égard aussi, l'imitation narrative surpasse toutes les autres. Le vers iambique et le tétramètre, au contraire, sont mouvementés : l'un s'accorde à la danse et l'autre à l'action. Il serait plus absurde encore de mélanger ces mètres, comme l'a fait Chérémon. C'est pourquoi personne n'a fait de composition longue en un autre mètre que le mètre héroïque ; comme on l'a dit, la nature elle-même nous apprend à choisir le mètre qui convient.

Parmi les nombreux mérites qui le rendent digne d'éloge, Homère a surtout celui d'être le seul des poètes à ne pas se méprendre sur ce que doivent être ses interventions personnelles. Le poète doit en effet parler le moins possible de manière personnelle, puisque ce faisant il n'imite pas. Les autres, justement, se mettent eux-mêmes en scène tout au long de leur poème, et ils imitent peu de choses et peu souvent, tandis qu'Homère, après un bref préambule, introduit aussitôt un homme, une femme, ou quelque autre caractère, car aucun de ses personnages ne manque de caractère, et tous au contraire ont du caractère.

Il faut laisser place au prodigieux dans les tragédies, mais dans l'épopée on peut même aller jusqu'à l'irrationnel, par quoi se produit au mieux le prodigieux, puisqu'on n'a pas le personnage en action sous les yeux. Ainsi la poursuite d'Hector pourrait-elle sembler comique sur une scène : d'un côté les Grecs immobiles, renonçant à la poursuite, de l'autre Achille qui les retient d'un signe de la tête ; mais dans l'épopée, cela ne se remarque pas. Or le prodigieux est agréable ; j'en donne pour preuve que tous, lorsqu'ils font un récit, en rajoutent toujours, pour produire du plaisir.

C'est surtout Homère qui a appris aux autres à mentir comme il faut, je veux dire à manier le faux raisonnement. Lorsqu'une chose découle d'une autre, ou qu'un événement suit un autre événement, les gens s'imaginent que, si le deuxième existe, le premier existe aussi ; ce qui n'est qu'une tromperie. C'est pourquoi, si le premier terme est faux, mais si son existence entraîne nécessairement l'existence ou l'apparition d'un autre terme, on relie l'un à l'autre, car en sachant que le deuxième est vrai, notre esprit en conclut à tort que le premier est vrai aussi. On en trouve un exemple dans l'histoire du Bain (d'Ulysse).

Il faut préférer ce qui est impossible mais vraisemblable à ce qui est possible, mais incroyable, et les récits ne doivent pas être composés de parties irrationnelles ; il ne doit s'y trouver rien d'irrationnel, à moins que les éléments irrationnels – comme le fait qu'Œdipe ne sache pas comment Laïos est mort – ne se trouvent en dehors de l'histoire représentée, et non dans le drame : comme les messagers venus des jeux pythiques dans *Électre*, ou le personnage qui arrive en Mysie depuis Tégée, dans *Les Mysiens*, et qui ne dit pas un mot. Il est donc ridicule de prétendre que sans ces éléments irrationnels l'histoire disparaîtrait, car il faut d'abord se garder de composer des histoires de ce genre ; mais quand le poète introduit de l'irrationnel en sachant le faire paraître plausible, on pourra accepter même l'absurde, car il est clair que les passages irrationnels de l'*Odyssée*, comme la scène du débarquement d'Ulysse, composés par un mauvais poète, seraient inacceptables. Mais ce poète a su en dissimuler l'absurdité en donnant du piquant au récit.

L'expression doit être surtout travaillée dans les parties sans action, et qui ne comportent ni caractères ni pensées ; au contraire une expression trop brillante éclipse les caractères et les pensées.

XXV

En ce qui concerne les problèmes et leurs solutions, le nombre et la nature de leurs espèces, on y verra clair en les étudiant comme ceci : puisque le poète est un imitateur au même titre que le peintre ou tout autre producteur d'images, il faut nécessairement qu'il imite toujours en choisissant l'une de ces trois possibilités : soit des choses qui ont existé ou qui existent, soit des choses dont on prétend qu'elles existent, ou qui le paraissent, soit des choses qui devraient exister ; et il en rend compte au moyen d'une expression qui comprend le mot rare, la métaphore et les nombreuses altérations du langage – puisque nous les accordons aux poètes.

Ajoutons que les critères d'appréciation ne sont pas les mêmes pour la politique et pour la poétique, ni pour la poétique et d'autres pratiques. Pour la poétique elle-même, on y trouve deux sortes de fautes ; l'une est purement poétique, l'autre est accidentelle. Si en effet le poète a choisi de faire telle imitation et n'y est pas parvenu par incapacité, sa faute relève de l'art poétique même ; mais si c'est à cause d'une représentation inexacte, si par exemple il a représenté un cheval jetant simultanément en avant ses deux pattes de droite, ou si sa faute relève d'une autre pratique particulière, comme la médecine ou toute autre science, ou s'il fait entrer dans son poème des choses qui d'une manière ou d'une autre sont impossibles, sa faute ne relèvera pas de la poétique. Il faut donc lever les critiques, en cas de problèmes, en les examinant selon ces points de vue.

Commençons par les critiques qui s'adressent à l'art poétique en lui-même. Le poète a composé une scène impossible : il a fait une faute ; mais cette faute est excusable s'il a atteint la finalité propre de son art (cette finalité qu'on a indiquée) et si, de cette manière, il a rendu telle ou telle partie de l'œuvre saisissante, par exemple la poursuite d'Hector. Mais si cette même finalité pouvait être atteinte, mieux ou aussi bien, en respectant aussi les données de cet autre savoir, sa faute n'est pas excusable, car il faut, autant que possible, éviter toute erreur.

Il faut voir en outre à laquelle des deux catégories appartient la faute : est-ce une faute qui relève de l'art poétique lui-même, ou une faute qui relève d'autre chose, d'accidentel, car il est moins grave d'ignorer qu'une biche n'a pas de cornes que d'en donner une représentation défectueuse. D'ailleurs, si l'on critique un manque de vérité, on peut sans doute rétorquer que le poète a représenté les choses comme elles devraient être, selon la déclaration de Sophocle, qui disait représenter les hommes tels qu'ils devraient être, tandis qu'Euripide les représentait tels qu'ils sont. Si aucune des deux réponses ne suffit, on peut encore alléguer « ce qu'on raconte », comme c'est le cas à propos des dieux. Car sans doute parler ainsi, ce n'est parler ni mieux ni selon la vérité, mais comme le dit Xénophane « comme si c'était vrai », ou « comme on dit ». Il arrive encore que certains faits soient représentés, non pas en mieux, mais comme c'était « en ce temps-là », par exemple pour les armes : « leurs lances étaient plantées droites, la pointe en haut » : c'était l'usage alors, comme ce l'est encore aujourd'hui chez les Illyriens.

Pour juger si telle parole ou telle action d'un personnage est bonne ou non, il ne faut pas seulement, en considérant l'action ou la parole en elles-mêmes, examiner si elles sont nobles ou viles; il faut surtout considérer le personnage qui agit ou parle, voir vers qui il se tourne, quand il agit ou parle, pour qui, dans quel but, par exemple pour obtenir un plus grand bien ou pour éviter un plus grand mal. Il y a encore d'autres difficultés à lever en tenant compte de l'expression verbale : on expliquera par exemple par l'utilisation d'un nom rare « les *ourèas* d'abord », car le poète veut peut-être parler, non des « mulets », mais des « sentinelles ». De même lorsqu'il dit de Dolon qu'il « avait un bien vilain *eidos* », il ne veut pas dire que son corps était difforme, mais que son visage était laid, car les Crétois désignent par « *eueides* » la beauté d'un visage. De même lorsqu'il dit « fais *zdôteron* le mélange », il ne veut pas dire de servir du vin pur, comme aux ivrognes, mais de faire « plus vite » le mélange.

On doit tenir compte aussi de la métaphore, par exemple : « tous, dieux et hommes, dormirent toute la nuit », alors qu'Homère dit en même temps : « lorsqu'il fixait les yeux sur la plaine de Troie, il entendait le son des flûtes et des syrinx ». Il écrit en effet « tous » pour dire « beaucoup », par métaphore, puisque l'idée de totalité implique un grand nombre. De même lorsqu'il dit que l'Ourse est « la seule » (des constellations) qui « ne se couche pas », il désigne par « la seule » celle qui est la plus connue.

On peut encore tenir compte de l'accent. C'est ainsi qu'Hippias de Tasos expliquait les expressions « *didomen de hoi euchos aresthai* » et « *to men hou kataputhetai ombrô* »[17]. On peut aussi lever d'autres critiques en séparant les mots, comme chez Empédocle : « aussi-

tôt les choses qui auparavant étaient immortelles
devinrent mortelles ; et celles qui étaient pures auparavant se trouvèrent mélangées. » D'autres passages
s'expliquent par un second sens, par exemple « *parô-
chèken de pleô nux* », car le mot « *pleô* » possède un
double sens. D'autres passages s'expliquent par
l'usage de la langue : on appelle « vin » n'importe
quelle boisson mélangée, ce qui permet de dire que
Ganymède « verse du vin à Zeus », bien que les dieux
ne boivent pas de vin, et on nomme « ceux qui travaillent l'airain » les artisans qui travaillent le fer, d'où
l'on a pu tirer l'expression : « une jambière en étain
nouvellement ouvrée ». Mais on peut aussi le comprendre comme une métaphore.

Quand un mot paraît présenter un sens impossible,
il faut aussi examiner combien il peut avoir de sens
dans le passage ; par exemple dans « en elle s'arrêta la
lance d'airain », il faut examiner de combien de
manières il est possible qu'elle y ait été arrêtée. C'est
une manière d'étudier ces problèmes, entièrement
opposée à celle dont parle Glaucon. Certains critiques
partent d'une opinion préconçue injustifiée et rai-
sonnent après avoir condamné un passage, et blâment
ce que le poète paraît avoir dit, si cela s'oppose à leur
propre opinion. C'est le cas à propos d'Icarios. On
s'imagine qu'il était lacédémonien et on trouve donc
absurde que Télémaque ne l'ait pas rencontré lors de
son séjour à Sparte. Mais la chose est peut-être
conforme à ce qu'en disent les Céphalénniens : ils
disent en effet qu'Ulysse s'est marié chez eux, et que

le personnage s'appelle Icadios, et non Icarios. Le problème découle ici probablement d'une erreur.

En règle générale, l'impossible doit être justifié par la poésie, ou par l'intention d'embellir, ou par l'opinion commune. Pour la poésie, l'impossible crédible est préférable au possible qui n'est pas crédible. Il est sans doute impossible qu'aient existé des hommes tels que les peignait Zeuxis, mais il les a peints en mieux, car ce qui doit servir d'exemple doit l'emporter sur ce qui est. Les choses irrationnelles doivent être justifiées par l'opinion commune, et l'on peut dire aussi tout simplement que parfois il n'y a rien d'irrationnel, car il est aussi vraisemblable qu'il arrive des événements invraisemblables.

Quant aux contradictions, il faut les examiner suivant la méthode de la dialectique, et voir s'il s'agit bien de la même chose, si l'affirmation est bien rapportée au même objet et de la même manière, de sorte qu'on ramène aussi le poète, soit à ce qu'il dit lui-même, soit au jugement d'un homme sensé. On a d'ailleurs raison de critiquer l'emploi de l'irrationnel et de la méchanceté lorsque le poète use sans aucune nécessité de l'irrationnel, comme le fait Euripide pour Égée, ou de la méchanceté, comme pour Ménélas dans *Oreste*.

Les critiques qu'on peut faire se ramènent donc à cinq : ou bien on prétend que c'est impossible, ou bien que c'est absurde, ou bien que c'est inutilement méchant, ou contradictoire, ou contraire aux règles de l'art ; quant aux solutions, il faut les examiner d'après les critères énumérés, qui sont au nombre de douze.

XXVI

L'imitation épique vaut-elle mieux que l'imitation tragique ? C'est une question qu'on peut se poser. En effet, si c'est la moins lourde qui est la meilleure, et si c'est la meilleure qui s'adresse aux meilleurs spectateurs, il est clair que celle qui cherche à tout imiter est bien lourde. Car c'est en croyant que le public ne comprendra pas s'ils n'en rajoutent pas que les interprètes gesticulent sur la scène, comme ces mauvais flûtistes qui se contorsionnent quand ils doivent imiter le mouvement du disque ou qui emportent le coryphée quand ils jouent le *Scylla*[18]. La tragédie aurait alors le défaut que les anciens acteurs dénonçaient chez leurs successeurs : Mynniscos traitait Callipidès de singe à cause de son jeu outré, et Pindare avait le même genre de réputation. Le rapport que ces derniers acteurs ont avec leurs prédécesseurs serait précisément le même que celui de l'art tragique tout entier avec l'épopée. On dit que celle-ci s'adresse à un public de qualité qui n'a pas besoin de gestes, tandis que la tragédie s'adresse à des spectateurs médiocres. Or si la tragédie est vulgaire, il est clair qu'on doit la considérer comme inférieure.

Or d'abord, ce reproche ne touche pas à l'art du poète, mais à celui de l'acteur, car on peut aussi trouver un jeu outré chez le rhapsode, comme chez Sosistrate, et chez le chanteur, comme chez Mnasitheos d'Oponte. Ensuite, il ne faut pas condamner n'importe quelle gestuelle, s'il est vrai qu'on ne peut pas condamner la danse, mais seulement la gesticulation des mauvais acteurs : c'est le reproche qu'on faisait à Callipidès et qu'on fait aujourd'hui à d'autres, en disant qu'ils imitent des femmes de basse classe.

Ajoutons que la tragédie produit encore l'effet qui lui est propre, même sans gestuelle, car on peut voir clairement quelle en est la qualité par la simple lecture, et si alors elle se révèle supérieure sous d'autres rapports, il n'est pas nécessaire d'y ajouter l'art de l'acteur. Or elle l'emporte en effet en contenant tout ce que l'épopée comporte – puisqu'elle peut même recourir au mètre épique – et en y adjoignant, ce qui n'est pas négligeable, la musique et le spectacle, qui sont d'excellents moyens de procurer du plaisir. Elle a pour elle en outre la clarté, tant à la lecture qu'à la représentation.

Et elle a l'avantage supplémentaire de mener à son terme l'imitation dans un temps moins long ; car une œuvre plus dense procure plus de plaisir qu'une œuvre dispersée dans une longue durée : qu'on transpose par exemple l'*Œdipe* de Sophocle en autant de vers qu'il y en a dans l'*Iliade*…

Il y a d'ailleurs moins d'unité dans l'imitation des poètes épiques – la preuve en est qu'on peut tirer de n'importe quelle épopée plusieurs tragédies – de sorte que, s'ils ne composent qu'une histoire unique, ou bien elle est brièvement exposée et elle paraît chétive, ou bien, si elle se déploie sur l'étendue requise, elle paraît délayée. J'évoque le cas où elle est composée de plusieurs actions, par exemple l'*Iliade*, qui possède au même titre que l'*Odyssée* de nombreuses parties ayant elles-mêmes leur étendue, même si ces parties sont chacune agencées le mieux possible et sont au mieux l'imitation d'une seule action.

Si donc la tragédie l'emporte par tous ces avantages et aussi par sa façon de réaliser sa propre fin – car ces imitations ne doivent pas procurer n'importe quel plaisir, mais celui qu'on a dit plus haut –, il est clair, puisqu'elle parvient à sa fin mieux que l'épopée, qu'elle lui est supérieure.

Sur la tragédie et l'épopée considérées en elles-mêmes, comme sur leur nombre et leurs différences, sur les causes qui font qu'une œuvre est réussie ou non, sur les critiques possibles et la manière d'y répondre, voilà qui suffit.

Notes

1. Le verbe *poiein*, d'où l'on tire les termes *poiesis, poietès*, et tous leurs composés – comme nos termes français *poésie, poète,* etc. – signifie simplement : faire, au sens de *fabriquer, produire, créer*. Il peut désigner la pratique de l'artisan. Aristote distingue soigneusement ces deux termes, que la langue française rend tous deux par *faire* : *poiein* et *prattein*, le second de ces deux termes désignant l'action non « productrice », du type moral ou politique (cf. fin du chapitre 3). Originairement, le terme grec *poiesis* désigne toute production, artistique ou non. C'est ce qui fait la difficulté de trouver un terme commun pour désigner l'ensemble des créations artistiques qui utilisent l'élément du langage. Le traité d'Aristote est l'un des premiers textes qui aient inscrit dans le terme *poiesis* la connotation artistique qui lui est restée liée dorénavant.

2. Une étymologie possible du terme *drame*, qu'Aristote suggère, sans y souscrire absolument.

3. Le terme *Dorien* désigne l'un des peuples qui ont constitué successivement l'ensemble des Hellènes, mais aussi le dialecte qu'ils ont importé dans la Grèce de l'« intérieur » et dans ses colonies, telle la Sicile.

4. Verbe tiré du nom *kômos*, désignant la participation à une fête de Dionysos comprenant des chants et des danses.

5. Le terme *iambos* désigne à la fois un certain mètre et les poèmes satiriques.

6. Le terme grec *muthos* peut signifier : mythe, légende, fable, ou simplement « histoire », au sens le plus commun (une histoire). On a choisi de le rendre par ce dernier terme dans la plu-

part des cas, lorsqu'il s'agit de la composition du récit par les poètes, en conservant le terme « mythe » lorsqu'il s'agit, comme dans le chapitre 14, des récits et personnages de la tradition.

7. Il est difficile de rendre le terme *catharsis*, qui signifie « purification » ou, au sens médical, « purgation » ; il peut même désigner les menstrues des femmes... ou tout autre processus qui consiste à permettre l'écoulement d'une chose dont la contention ou la rétention fait souffrir. On trouve déjà chez Platon la signification d'un « soulagement de l'âme par la satisfaction d'un besoin moral ». De cette difficulté de traduire le terme vient l'usage qui consiste à le conserver en le transcrivant dans la langue-cible, en l'adoptant comme un concept propre à l'esthétique, revisité par la psychanalyse, qui l'a elle-même tiré de la *Poétique* d'Aristote. La *catharsis* désigne en psychanalyse l'effet thérapeutique obtenu par une « décharge adéquate des affects pathogènes » (Laplanche et Pontalis, *Vocabulaire de la psychanalyse*).

8. Nous choisissons le terme « expression verbale », plutôt que celui d'« élocution » ou celui de « discours », ou encore le terme trop vague d'« expression », pour rendre le grec « *lexis* » : Aristote s'occupe ici du texte écrit par le poète, et non de son interprétation par le comédien (cf. *infra* et chapitre 19 *sq.*). En termes d'aujourd'hui, on pourrait le traduire par « style », et mieux encore par « écriture », mais dans le contexte cela prêterait à trop de confusion.

Il faut remarquer que cette première énumération ne désigne pas l'ordre constitutif des éléments de la tragédie ; cet ordre sera mis en place un peu plus bas dans le chapitre, en allant du « plus important » jusqu'au « moins important », à savoir : histoire, caractères, pensée, expression verbale et chant, le spectacle ou la mise en scène n'étant qu'un élément à la limite secondaire (puisque la tragédie existe par elle-même, indépendamment de sa mise en scène), et relevant de pratiques différentes de celle de la poésie, qui sont l'art du comédien, ceux du décorateur et du metteur en scène.

9. Cette phrase elliptique demande une explication. Aristote rappelle son analyse précédente (cf. *supra*, chapitre 1) : les deux éléments qui sont les *moyens* de l'imitation sont l'expression ver-

bale et le chant, l'élément qui constitue la *manière* est la mise en scène, et les trois *objets* sont : l'histoire, les caractères et la pensée.

10. Dans sa tragédie *Mélanippe la philosophe* (*Melanippè hè sophè*), Euripide mettait en scène une jeune femme, mère de deux fils jumeaux sans avoir été mariée, à l'insu de son père. Pour défendre ses bébés menacés de mort, la jeune femme déployait une argumentation philosophique. Cette explication est donnée pour faire comprendre ce qui, pour Aristote, exprime le manque de « convenance » et de « conformité » (*prepon* et *harmotton)* du caractère.

11. Aristote veut dire par là que rien ne permet d'affirmer, en toute logique, qu'un autre homme ne pourrait pas bander l'arc d'Ulysse ou le reconnaître, mais que le poète compte sur le public, qui admet cette simple déclaration comme une base réelle.

12. Les remarques d'ordre linguistique qui vont suivre dans les chapitres 20 et 21 se basent sur les particularités de la langue grecque ; elles n'ont donc qu'une valeur limitée, mais elles nous renseignent sur la matière et les règles dont disposaient et jouaient les poètes grecs.

13. Même remarque : il s'agit cette fois des règles syntaxiques particulières à la langue grecque. On voit par là qu'Aristote a été débordé dans son projet, qui n'était que de constituer une poétique à l'usage des Grecs. Mais pour un Grec de cette époque, il n'y avait guère de culture, de langue et de poésie qui ne fussent grecques.

14. On a choisi de rendre le terme *logos* par celui de « proposition », terme plus familier au lecteur de langue française que ceux d'« élocution » ou d'« énoncé », de « diction » ou d'« oraison » choisis par d'autres traducteurs, dans ce chapitre d'analyse du langage. Mais *logos* n'a pas chez Aristote un sens seulement grammatical. On le voit ici, où il fait de toute l'*Iliade* un seul *logos*, autrement dit, un seul « dire », un seul « propos ». C'est pourquoi on traduira *logos*, dans ce cas particulier, par « propos ».

15. Il s'agit de poser des ventouses, qui étaient alors en bronze ; énigme célèbre dans l'Antiquité.

16. Les tragédies étaient présentées en concours à l'occasion de fêtes religieuses. À l'époque d'Aristote, chaque journée de

concours comprenait la représentation de trois tragédies et d'un drame satyrique (soit une somme de quatre à cinq mille vers, dimension idéale d'une épopée, aux yeux d'Aristote).

17. Expressions qui changent de sens selon les accents qu'on leur appose. Ces accents n'étaient pas notés dans l'écriture grecque, ni à l'époque d'Homère, ni même à celle d'Aristote (comme c'est encore le cas dans l'écriture des langues sémitiques – hébreu, arabe, etc. –), ce qui permettait diverses interprétations.

Aristote met en place dans ce passage et ceux qui suivent une méthode d'explication proche des procédés de la linguistique moderne, dont s'inspirera Spinoza dans son *Traité théologico-politique* pour expliquer l'Écriture Sainte, fondée sur la connaissance rationnelle des propriétés d'une langue donnée.

18. Afin d'imiter le monstre qui engloutit les compagnons d'Ulysse.

De l'art comme théâtre

Pour Nayla, ma grande artiste.

« Il faut préférer ce qui est impossible mais
vraisemblable à ce qui est possible, mais
incroyable »
Poétique, 24.

L'esthétique moderne semble s'être fait un jeu
de démonter tous les impératifs qui firent pendant
des siècles de la *Poétique* d'Aristote une sorte de
bréviaire de l'art, et l'avoir reléguée au rang d'une
pièce de musée hors d'usage. Mais son intérêt
réside peut-être davantage dans sa philosophie du
fait artistique que dans son rôle prescripteur. Au-
delà des normes, demeure la puissance d'une
interrogation philosophique qui ne cesse de
s'étonner du phénomène artistique, et de nous en
étonner.

Tout d'abord, Aristote constate : nous prenons
plaisir aux histoires et aux représentations. Ce plaisir lié à la joie d'apprendre en établissant des rap-

ports déductifs entre les êtres et ce qui les représente tient à la représentation même, et non à l'objet qu'elle représente. Aristote remarque : « Nous prenons plaisir à contempler la représentation la plus précise de choses dont la vue nous est pénible dans la réalité, comme les formes des animaux les plus hideux et des cadavres. » (*Poétique* 4). Voilà bien un fait indépassé, dans la production artistique d'aujourd'hui.

Comment se fait-il que nous mobilisions nos émotions, notre temps, pour suivre, haletants, les aventures d'êtres de fiction qui, s'ils existaient dans notre voisinage, ne susciteraient en nous qu'horreur ou indifférence ?

Non seulement nous frémissons de peur au théâtre, au cinéma, en lisant nouvelles ou romans, mais – fait plus problématique – nous recherchons et désirons ces émotions, qui occupent amplement le temps de nos loisirs lorsque nos exigences vitales sont satisfaites, ou qui même nous procurent une douce consolation lorsqu'elles ne le sont pas. Conteurs populaires et nourrices le savent : on peut faire oublier pour un temps sa faim à un enfant, à un adulte, en lui racontant une belle histoire, et le petit réclame, à la fin du *Chaperon rouge*, « encore du loup ».

Aimer pleurer, aimer craindre, réclamer toujours plus de situations pathétiques, n'est-ce pas un curieux paradoxe ? Les artistes et autres poètes créent, pour notre plus grand bonheur, un monde qui n'est pas le « vrai monde » de notre expérience quotidienne, ni un ciel qui la dépasse, pas plus que le monde de nos exigences politiques et morales.

Le domaine esthétique apparaît ainsi dans sa présence propre, comme ce dont nous avons besoin sans en avoir nécessité, double du réel qui nous paraît plus convaincant que ce réel même. Combien de figures littéraires, de madame Bovary et de Cyrano – mais aussi combien de Joconde et de Carmen – n'habitent-ils pas notre univers, dotés d'une vie plus dense que celle de nos voisins directs ?

La *Poétique* d'Aristote part vite de ce constat, mettant l'esthétique sur sa vraie voie, hors d'atteinte des pouvoirs qui tenteraient de se soumettre les œuvres d'art. L'art est chose de plaisir : « par nature », les hommes aiment cela.

Mais la polémique s'est ouverte sur l'objet de ce plaisir. L'autre cause naturelle de la poésie et de tous les arts, dit Aristote, se trouve dans l'aptitude naturelle des hommes à « imiter ». Le terme d'imitation, sous sa forme substantive ou verbale (*mimèsis, mimeisthai*), est celui qui revient le plus souvent dans le traité (avec le terme *poiein* qui signifie faire, produire ou créer).

On connaît les pages que Hegel a consacrées à la critique de l'imitation dans l'art, et celles, plus ironiques, que lui a vouées Oscar Wilde en prétendant que c'est « la nature » qui « imite l'art ».

Certes, tout le monde suit Hegel lorsqu'il montre le ridicule qu'il y aurait à faire du trompe-l'œil le modèle de l'art : le peintre Zeuxis peignant des grains de raisin si ressemblants que les oiseaux venaient les picorer.

Dérisoire ! dit Hegel. L'artiste qui veut imiter la nature n'est qu'un ver de terre qui se prend pour un éléphant.

Mais la *Poétique* d'Aristote n'a jamais parlé d'une « imitation de la nature », et placer sur ce point la critique relèverait du contresens ou de la mauvaise foi. Pour Aristote, la poésie n'imite pas des choses existantes – ce qui en effet n'aurait guère d'intérêt.

Tout d'abord, elle n'imite pas des choses, mais ces êtres plus abstraits que sont les actes. La tragédie, par exemple, « imite, non pas les hommes, mais l'action, la vie, le bonheur et le malheur » (*Poétique* 6). Ajoutons que ces actes « imités » ne sont pas des actes réalisés par des hommes réels. Ces actes, ce sont des possibles.

Le domaine du possible est celui de l'image, propre à l'esprit humain : « Le rôle propre du poète n'est pas de dire ce qui est réellement arrivé, mais de dire ce qui pourrait arriver selon la vraisemblance ou selon la nécessité » (*Poétique* 9). C'est pourquoi la poésie « est plus philosophique que l'Histoire et lui est supérieure »

(*Ibid.*). La « philosophie » de la poésie et de l'art consiste à construire des êtres qu'elle tire de son fond imaginatif, et non des expériences observées. Voilà donc ce qu'est, pour Aristote, l'imitation. Le fameux dilemme *imitation* ou *création* se trouve ici littéralement annihilé. Sous la plume d'Aristote, les verbes *mimeisthai* et *poiein* en arrivent à une équivalence, au point que l'un est souvent employé à la place de l'autre. Pourquoi dès lors, si soucieux de distinction et de clarté, donnet-il un statut conceptuel à un mot qui prête à confusion ? Étant donné qu'imiter n'est pas recopier, décalquer, mais former des êtres crédibles pour l'imaginaire, pourquoi ne pas rejeter simplement le terme d'imitation ?

La première raison est historique. Aristote, qui s'est initié à la philosophie dans l'Académie de Platon, utilise un terme déjà inscrit dans une tradition scolaire. Pour Platon, l'art est imitation, *mimèsis*. Mais en reprenant le mot, Aristote renverse le jugement du maître. Selon Platon, l'imitation est ce qui fait l'infériorité de l'art : les poètes n'imitent même pas des choses réelles, mais de simples images. Et comme les images sont déjà les imitations des choses réelles, les imitations artistiques sont des imitations d'imitations. C'est pourquoi il faut chasser les poètes de la cité idéale, parce qu'au lieu d'éduquer le peuple ils le dupent en lui faisant prendre l'irréel pour le réel.

Pour Aristote, les images ne sont ni inférieures ni supérieures aux idées : elles sont d'une nature différente, et le plaisir naturel qu'y prennent les hommes est irréductible. Il y a comme un jeu à asséner ce même terme de *mimèsis* pour faire une théorie qui confère à l'art un statut autonome. Oui, les poètes sont des imitateurs ; c'est qu'il est poésie, ce *mimeisthai* qu'on pourrait aussi traduire par « feindre », d'où nous tirons notre substantif : la « fiction ».

L'autre raison pour laquelle Aristote conserve et développe ce terme de *mimèsis* est qu'il permet d'embrasser tous les phénomènes esthétiques, des plus primitifs et enfantins jusqu'aux plus élaborés.

Les hommes prennent plaisir – dès l'enfance (*Poétique* 3) – aux imitations : telle est l'enfance de l'art, où s'inscrivent toutes les pratiques du jeu, du déguisement, du transvestisme. Imiter, c'est se déplacer, à l'image glissante de la métaphore, dans ce que l'on n'est pas actuellement, mais que l'on pourrait être, peut-être... Puissance démiurgique de produire un autre monde.

Et chez celui qui imite – en contrefaisant une voix, une démarche, en formant maladroitement le contour d'un « bonhomme » – le rire d'un dieu. Comment n'engendrerait-il pas, chez celui qui regarde ou écoute, le plaisir d'un dieu ?

L'imitation aristotélicienne trouve son modèle, non dans l'inertie du tableau mais dans la gestualité du mime. L'art ne vise pas un état, mais une action. On mesure ce qu'il y a d'actuel dans cette poétique qui envisage l'œuvre plastique sous l'aspect de l'action. *Action painting,* art comme *happening,* y trouvent leur théorie : toute cette esthétique d'aujourd'hui qui confère au geste créatif, fût-il éphémère, plus d'importance qu'à son résultat, parce qu'il le détermine.

Pour une part, Aristote écarte les arts de l'acteur et du metteur en scène du domaine poétique lui-même. Mais il admet d'autre part le rôle que joue la conjonction active du spectacle (*opsis*) et du spectateur dans la création des poètes. La représentation dramatique est une mise en acte, et même si la tragédie existe par elle-même, elle est « faite pour » être mise en scène, au moins dans l'œil intérieur d'un lecteur qui « voit » les actes et se les représente.

Il est donc logique qu'Aristote consacre la plus grande partie de sa *Poétique* à la poésie dramatique, tout compte fait supérieure à la poésie épique, même celle du merveilleux Homère, celui « qui a appris aux autres à mentir comme il faut » (*Poétique* 24). Ce qu'il loue d'ailleurs en Homère, contre les autres théoriciens de la poésie, c'est sa capacité de « prendre la voix d'un autre » pour mieux produire l'émotion. L'art poétique atteint sa perfection quand son imitation émeut, bouleverse. Et les émotions les plus fortes – même si le comique émeut aussi à sa manière – sont la crainte et la pitié. La poésie dramatique, plus que toute autre, provoque cette fameuse « catharsis », si discutée. Certes, le terme comporte une idée de « purification », qui pourrait être abusivement tirée vers la morale. La catharsis produite par l'art n'est pas une édification, mais une sortie, délicieusement agréable, des émotions normalement contenues par les impératifs de la vie sociale. Les cœurs des spectateurs du théâtre antique, comme ceux des Margots de nos cinémas, palpitent au spectacle de ce qui leur fait peur : la mort, le crime, la folie, le mal. Il aura fallu Freud et son étude de l'hystérie pour expliquer qu'il y a souffrance dans la rétention de nos émotions, et plaisir dans leur débordement, dérivé sur un mode imaginaire.

Non seulement nous prenons plaisir à recréer le monde selon nos propres lois, mais nous avons encore plaisir à le faire comme des dieux : sans risque. Pendant que je vois l'autre périr sous mes yeux, moi, je suis bien en vie, et je peux me procurer la jouissance masochiste de me feindre en victime, confortant le trouble désir de mon propre châtiment.

Mais ces émotions délicieuses ne sont pas procurées sans règles. Là s'ouvre encore une polémique, et un procès.

Il est vrai qu'Aristote écrit sous la forme normative « dei », « chrê » : il faut. Est-ce par prétention à se faire le maître de l'œuvre belle ? L'abondance de ses références nous montre le contraire. Aristote n'aime pas beaucoup Euripide et lui préfère de loin Sophocle. Il reconnaît cependant qu'Euripide est « le plus tragique des tragiques », montrant que la loi de la bonne tragédie se trouve dans son efficacité à produire l'effet tragique sur le spectateur. La tragédie doit savoir faire passer des êtres « semblables à nous », c'est-à-dire ni vraiment bons ni vraiment méchants, du bonheur au malheur, parce qu'ils ont commis une erreur d'appréciation : ils n'ont pas su ce que « nous » savons. N'est-ce pas le propre de la condition humaine ? Il n'est pas étonnant que nous nous apitoyions sur le sort de ces innocentes victimes, qui est « notre sort » lorsque nous nous mouvons sur la scène réelle, hors de la position confortable du spectateur.

Il y a donc des règles, qui ne viennent pas d'un désir de maîtrise du théoricien, mais de cette conjonction qui fait l'efficace de l'œuvre d'art : capacité d'identification du spectateur à la logique d'une geste.

Ces règles, Aristote les tire de la situation de l'art de son époque. On peut supposer qu'elles évoluent dans le temps et le lieu, que « nous » ne pensons plus qu'une femme qui raisonne est forcément « invraisemblable » et « inconvenante », autant qu'« un homme qui pleure » (*Poétique* 15).

Mais cela n'est pas sûr. L'art de masse – roman, cinéma – montrerait plutôt le contraire, et la plupart des best-sellers d'aujourd'hui se conforment remarquablement aux normes d'Aristote.

Un plaisir d'ordre logique s'ajoute, à parcourir les étapes de cette théorie qui fonctionne comme une genèse. Aristote ne part pas d'un catalogue de faits, d'ailleurs interminable, mais il considère l'œuvre poétique comme engendrée par un mouvement initial, et trouvant en lui – tel un escargot qui développe sa coquille à partir de son mouvement d'enroulement – les éléments nécessaires à sa mise en œuvre finale. Les caractères découlent de l'histoire, la pensée découle des caractères, et de la pensée l'expression verbale. L'œuvre sera satisfaisante si tous ses moments s'engendrent sans prolongements inutiles ou accélérations intempestives. Aristote aime plutôt le « long » que le « court » (*Poétique* 7) ; pourtant la dimension idéale de l'œuvre poétique, selon lui, se trouve plutôt du côté de la tragédie – d'une geste que l'émotion peut suivre sans interruption de son début jusqu'à sa fin – que de celui de l'épopée, qui oblige à morceler le récit.

Le traité dégage une dynamique de la poésie : mimer du possible. C'est pourquoi l'on peut dire, non sans paradoxe mais sans absurdité, que l'art est une partie du théâtre, plutôt que le théâtre une partie de l'art.

On pourrait opposer à cette thèse plusieurs objections. Les Anciens y déploraient l'absence de toute place accordée à la poésie lyrique. Aristote se contredit peut-être lui-même en disant que cette poésie n'en est pas une, parce qu'elle n'imite pas, puisque le poète lyrique parle selon sa propre voix. Mais ne serait-ce pas oublier le médium des mots, et la métaphore ? Le poète lyrique ne trouve-t-il pas dans la chose commune des mots le moyen d'imiter, au titre d'un « possible », son émotion, qui est aussi la nôtre ?

On accorde que la danse soit mime et qu'elle trouve son meilleur déploiement dans une action qu'elle représente. Mais la musique ? Dans les termes d'Aristote, on répondrait que la musique n'imite pas des bruits réels, mais une émotion en nous : des possibles. *Allegro, vivace, crescendo...* rythmes et modes de la musique n'imitent-ils pas la joie, la peur, la mort imminente ? Et le mélomane qui préfère l'écoute vive – dans cet événement qu'est le concert – à l'enregistrement, ne privilégie-t-il pas l'aspect « dramatique » de la musique et ce qui l'environne : surprise d'une improvisation, solennité de la cérémonie, jeu scénique de l'interprète, voire la délicieuse menace de l'accident ?

Certes, tous les arts plastiques d'aujourd'hui n'imitent pas, et une partie d'entre eux a rejeté la notion de figuration ; mais le langage de la critique préfère les termes de l'action à ceux de la plastique pure. *Arte povera, minimal art* touchent de près à la mise en scène. Aucune des choses isolées qu'ils présentent n'a de valeur esthétique en elle-même, mais par son habitation rythmique de l'espace, sous le regard mobile du spectateur, la sculpture s'anime et se déplace. Elle n'existe que par le mouvement du spectateur qui tourne autour, et les grands moments du bonheur de l'art sont ceux où les œuvres s'avancent vers le public, plutôt que le public vers les œuvres d'art.

On peut tirer de la *Poétique* d'Aristote un dernier usage : si ses règles semblent se maintenir, au moins dans la production artistique de masse, on peut aussi se demander jusqu'où l'artiste et le poète peuvent les transgresser. Cette théorie indique, pour le présent et le futur, une pierre de touche de ce qui peut être contesté, exprimant de nouvelles singularités. Ce ne serait que politesse à rendre au philosophe de Stagire, qui place la valeur de l'expression poétique (*lexis*) dans sa capacité de s'écarter des normes contraignantes du langage habituel, dans les formulations rares et les métaphores : la seule chose, dit Aristote, que le poète ne peut emprunter à autrui.

SÉVERINE AUFFRET

Vie d'Aristote

384/383 avant J.-C. Naissance d'Aristote à Stagire, petite cité de la péninsule chalcidique peuplée surtout de Macédoniens et de Thraces, mais où l'on parle grec. Son père, Nicomaque, qui aurait eu pour ancêtre Esculape, est le médecin particulier et l'ami du roi de Macédoine, Amintas II. Sa mère, Phestias, est originaire de Chalcis, en Eubée. Aristote perd bientôt son père et sa mère. Il est confié à l'un de ses parents, Proxène, dont il adoptera plus tard le fils, Nicanor.

367. Départ pour Athènes. Aristote, âgé de dix-sept ans, entre comme élève à l'Académie de Platon pendant que le maître est en Sicile, et que la direction de l'école est confiée au mathématicien et astronome Eudoxe. Aristote restera à l'Académie jusqu'à la mort de Platon, en 347. Il s'y fait remarquer pour la vivacité de son esprit. Platon, à son retour à Athènes, lui aurait donné le surnom de *Noûs* (Intelligence). Mais son caractère d'étranger demi-barbare, représentant la Macédoine honnie et redoutée des Athéniens, son apparence physique peu séduisante et ses faibles qualités d'orateur suscitent la réserve de ses condisciples. Aristote travaille à l'Académie sans souscrire entièrement à l'enseignement du maître. Il discute sa doctrine, et particulièrement sa théorie des Idées.

347. Mort de Platon. Son neveu Speusippe lui succède à la tête de l'Académie. Aristote, accompagné de Xénocrate, quitte Athènes pour aller fonder sa propre école à Assos, en Troade (cité de l'actuelle Turquie). C'est là qu'il fait connaissance avec la cour du tyran Hermias d'Atarnée, ville dont son tuteur Proxène était originaire. Cet Hermias, eunuque, ancien esclave originaire de Bythinie, y a créé un petit cénacle d'élèves de l'Académie. Une amitié passionnée lie Aristote et Hermias (le « mignon » d'Aristote, selon Diogène Laërce). À la mort d'Hermias, qui sera torturé par des Perses, Aristote compose un péan (hymne en principe réservé aux dieux) en son honneur.

Aristote épouse Pythias, nièce d'Hermias. Il en a une fille, nommée également Pythias.

343. Aristote quitte Atarnée pour se rendre à Lesbos, avec son disciple Théophraste. Il y ouvre une autre école, qu'il dirige pendant un an.

342. Appelé par Philippe de Macédoine, Aristote devient le précepteur du jeune Alexandre, alors âgé de quatorze ans, dans la cité de Mieza, non loin de la capitale macédonienne, Pella. Il lui

enseigne la poésie et la politique. Son précepto-
rat s'achève avec la nomination d'Alexandre
comme régent du royaume, en 340.

Après la mort de sa première épouse, Aristote
prend pour femme, ou pour concubine, Herpyllis
de Stagire, qui est peut-être une courtisane. Elle lui
donne un fils, Nicomaque, auquel il destinera son
Éthique.

340. Speusippe mort, Xénocrate est élu à la tête
de l'Académie, en l'absence d'Aristote.

338. La défaite de Chéronée met fin à l'indé-
pendance d'Athènes, qui se soumet à la Macédoine.

336. Philippe de Macédoine est assassiné, et le
jeune Alexandre devient roi. Aristote obtient de
lui de relever sa ville d'origine, Stagire, qui avait
été détruite par Philippe. Il formule les nouvelles
lois de Stagire.

335. Aristote revient à Athènes, où il fonde, à
l'âge de cinquante ans, sa propre école, le Lycée,
qui tire son nom de son emplacement, proche du
gymnase consacré à Apollon Lycien. Il y enseigne
en se promenant avec ses élèves (d'où le nom
d'école *péripatéticienne*), donnant le matin des
cours « ésotériques » réservés aux disciples avan-
cés, et l'après-midi des conférences « exoté-
riques », ouvertes à un public plus large. Il constitue une bibliothèque, la plus importante après
celle possédée par Euripide. Mais il reste aux

yeux des Athéniens un étranger, et il est obligé de prendre un prête-nom pour fonder son école.

Progressivement, Aristote rompt avec l'Académie. Ses relations avec Alexandre se détériorent, car il désapprouve publiquement sa politique d'assimilation des Perses.

327. Alexandre fait assassiner le neveu d'Aristote, Callisthène, parce qu'il avait refusé de se prosterner devant lui à la mode perse.

323. Mort d'Alexandre. Cette mort provoque une vague antimacédonienne à Athènes.

Aristote se trouve menacé, du fait de son origine et de ses amitiés. On lui intente un procès pour « impiété » (*asebeia)*, comme on l'a fait naguère pour Socrate, pour Anaxagore, pour Théophraste et pour un grand nombre d'autres philosophes – surtout étrangers. On lui reproche, entre autres chefs d'accusation, d'avoir « divinisé » l'eunuque Hermias en composant son péan.

Aristote, inquiet et prudent, s'enfuit d'Athènes et se retire à Chalcis (cité d'origine de sa mère), avec son épouse Herpyllis et ses deux enfants.

322. Aristote meurt à Chalcis, âgé de soixante-deux ans, d'une maladie d'estomac, ou, selon certaines versions, par suicide.

La critique ignore, à ce jour, la chronologie des œuvres d'Aristote. On suppose qu'il a composé, pendant son séjour à l'Académie, un grand nombre de dialogues socratiques, aujourd'hui disparus.

La *Poétique*, selon toute vraisemblance, fait partie des œuvres composées pendant la période athénienne de l'enseignement au Lycée. Le caractère relativement négligé de sa construction et de sa rédaction fait penser qu'il s'agit de notes de cours destinées à l'enseignement « ésotérique ». À la mort d'Aristote, l'ensemble de ces travaux devint l'héritage de son disciple Théophraste, qui les conserva sans les publier. Ils furent cachés dans une cave pour échapper à la censure ou au pillage et n'en furent exhumés, en mauvais état, qu'au début du Ier siècle avant notre ère, où ils commencèrent à être copiés et publiés à Rome. Il semble qu'une partie de la *Poétique* ait disparu, celle qui devait traiter, entre autres, de la comédie, selon le plan annoncé. Le *corpus* des œuvres d'Aristote fut ensuite transmis à la culture occidentale par le biais des Arabes, en particulier d'Averroës, après avoir été traduit en arabe dans les écoles de traducteurs du sud de l'Espagne, et retraduit en latin.

Repères bibliographiques

OUVRAGES D'ARISTOTE

La majeure partie de l'œuvre – texte grec et traduction – figure aux éditions Les Belles Lettres Budé. On donne ici une indication partielle de quelques éditions récentes.

◆ *Constitutions d'Athènes,* Belles Lettres Poche, 1996.

◆ *De l'âme,* Vrin, 1988.

◆ *De la génération des animaux,* Les Belles Lettres, 1961.

◆ *Éthique à Nicomaque,* Vrin, 1994.

◆ *Invitation à la philosophie,* Mille et une nuits, 2000.

◆ *Livre* Alpha *de la Métaphysique,* Mille et une nuits, 2002.

◆ *Métaphysique (t. 2, H-N),* Vrin, 1991.

◆ *Poétique,* Le Seuil, 1980.

◆ *Poétique,* Le Livre de Poche classique, 1990.

◆ *Rhétorique,* Le Livre de Poche classique, 1991.

◆ *Rhétorique des passions,* Rivages, 1989.

◆ *Les Parties des animaux,* Garnier-Flammarion 1995.

ÉTUDES SUR ARISTOTE

◆ BODEUS (Richard), *Aristote, le juste et la cité,* PUF, 1996.

◆ BRUN (Jean), *Aristote et le Lycée,* PUF, collection Que sais-je?, 1992.

◆ CAUQUELIN (Anne), *Aristote, le langage,* PUF, 1990 ;
   Les Animaux d'Aristote, Lettre volée, collection Palimpsestes, 1995.

◆ LOMBARD (Jean), *Aristote : politique et éducation,* L'Harmattan, 1994.

◆ WOLFF (Francis), *Aristote et la politique,* PUF, 1991.

Mille et une nuits propose des chefs-d'œuvre pour le temps
d'une attente, d'un voyage, d'une insomnie…

La Petite Collection (extrait du catalogue) 532. Gilbert Keith
CHESTERTON, *La Morale des elfes*. 533. Georges PALANTE,
La Sensibilité individualiste. 534. CATULLE, *Poèmes à Lesbie et autres
poèmes d'amour*. 535. OULIPO, *Oulipo. Pièces détachées*. 536. EÇA DE
QUEIRÓS, *Les Anglais en Egypte*. 537. Joseph de MAISTRE, *Contre
Rousseau (De l'état de nature)*. 538. ANONYME, *Va te marrer chez les
Grecs (Philogelos)*. 539. Patrick BESSON, *Et la nuit seule entendit leurs
paroles*. 540. Frédéric H. FAJARDIE, *Une charette pleine d'étoiles*.
541. Arthur SCHOPENHAUER, *Métaphysique de l'amour sexuel*.
542. Khalil GIBRAN, *Jésus, Fils de l'Homme*. 543. Emily BRONTË,
Devoirs de Bruxelles. 544. COLLÈGE DE 'PATAPHYSIQUE, *Le Cercle des
pataphysiciens*. 545. Sébastien BAILLY, *Le Meilleur de l'humour noir*.
546. SÉNÈQUE, *L'Art d'apaiser la colère*. 547. Sébastien BAILLY,
Le Meilleur de l'amour. 548. ARISTOPHANE, *Lysistrata. Faisons la grève
du sexe*. 549. Friedrich ENGELS, *La Situation des classes laborieuses en
Angleterre. Dans les grandes villes*. 550. Georges COURTELINE,
La Philosophie de Georges Courteline. 551. Blaise PASCAL,
Trois Discours sur la condition des grands. 552. Élisée RECLUS,
L'Anarchie. 553. François CARADEC, *Entrez-donc, je vous attendais*.
554. Benjamin FRANKLIN, *Bagatelles et autres textes*. 555. Honoré DE
BALZAC, *Z. Marcas*. 556. Pierre-Auguste RENOIR, *L'Amour avec mon
pinceau*. 557. Joachim du BELLAY, *Deffence & Illustration de la
langue françoyse*. 558. Blaise PASCAL, *« Il faut parier »*. 559. Patrick
BESSON, *Les Années Isabelle*. 560. Sébastien BAILLY, *Le Meilleur de la
bêtise*. 561. Arthur SCHOPENHAUER, *Sur le besoin métaphysique de
l'humanité*. 562. Edgar Allan POE, *Le Démon de la perversité et autres
contes*.

Pour chaque titre, le texte intégral, une postface,
la vie de l'auteur et une bibliographie.

49.40.4121.7/08
Achevé d'imprimer en mars 2010
par La Nouvelle Imprimerie Laballery (Clamecy, France).
N° d'impression : 002264

*Pour l'éditeur, le principe est d'utiliser des papiers composés de fibres naturelles, renouvelables,
recyclables et fabriquées partir de bois issus de forêts qui adoptent un système d'aménagement durable.
En outre, l'éditeur attend de ses fournisseurs de papier qu'ils s'inscrivent dans une démarche
de certification environnementale reconnue.*